D1302344

Enciclopedia de trabajos caseros

SEGURIDAD en el hogar

Enciclopedia de trabajos caseros

Tony Waters

SEGURIDAD en el hogar

marcombo
BOIXAREU EDITORES
BARCELONA-MEXICO

Título de la obra original
Home Protection
por Tony Waters
© Butterworth & Co. (Publishers) Ltd.
88 Kingsway, London WC2B 6AB

Traducción al castellano por **Manuel Figueras Blanch**

Cubierta: Fotografía, Antonio Ferro
Material cedido por Comercial Saturno, Barcelona

ISBN: 84-267-0605-3
ISBN: 0-408-00576-9 Butterworth & Co. (Publishers) Ltd., edición original
Depósito Legal: B. 37.366-85
Impreso en España
Printed in Spain
Fotocomposición: Catalana de Fotocomposición, S.A.
Impresión: Sirven Grafic, S.A., Gran Via, 754. 08013 Barcelona

Prólogo

En los últimos años el riesgo de robos ha aumentado notablemente, por lo cual los cabezas de familia solicitan sistemas de protección que puedan instalarlos ellos mismos. Ante tal demanda, en el mercado del *bricolage* han aparecido una amplia variedad de elementos de seguridad y detección de fuegos que abarcan desde cerraduras de calidad hasta sistemas electrónicos de alarma.

Este libro está dividido en dos partes. La primera de ellas trata de los mecanismos (cerraduras, cerrojos, etc.) destinados a evitar la entrada de intrusos, y de los sistemas de alarma electrónica que entran en funcionamiento avisando en el caso de que fallen los anteriores. En la segunda parte se trata de los principales riesgos de incendio en el hogar, pasando revista a los diferentes tipos de detectores de calor y humo que existen en el mercado; aconseja sobre la ubicación más adecuada de los detectores y lo que hay que hacer si suena la alarma.

Todos los libros de esta serie han sido escritos por gente que cuenta con considerable experiencia práctica y estoy seguro que coleccionará el resto de libros que integran la serie. Le deseo el mayor éxito en todo lo que emprenda.

Tony Wilkins
Editor de la revista «Do it yourself»

Agradecimientos

Los editores agradecen la colaboración de Astra Security Locks and Safe Co. Ltd., de Maidstone, por el préstamo de cerraduras, y a las siguientes empresas que nos han facilitado fotografías:

Carters
Chubb & Son Ltd.
Copydex Ltd.
Eagle International
Eurolec Security Services Ltd.
Hoover Ltd.
Ingersoll Locks Ltd.
Josiah Parkes & Sons Ltd.
Photain Controls Ltd.
Royal Society for the Prevention of Accidents
Scovill Security Products Ltd. (Yale Security Products Division).

Índice

Protección contra los intrusos

Introducción

Una casa facilita más el acceso de los intrusos si es independiente y se encuentra en un lugar apartado, que si se halla en una calle. Esto parece obvio, pero podría dar una falsa impresión de seguridad suponer que no puede ocurrir nada por el hecho de estar rodeada de otras viviendas.

Se podría definir como «intruso» a la persona que irrumpe sin permiso en la vivienda en cualquier momento del día o de la noche con ánimo de apropiarse de bienes. Los resultados del delito en cuestión producen aflicción y susto a los ocupantes de la vivienda, y los daños ocasionados pueden ser elevados.

Cualquier sistema para protegerse de intrusos debe diseñarse de modo que funcione tanto de día como durante la noche. Muchos hurtos se llevan a cabo en las horas de la mañana, mientras los miembros de la familia se encuentran en el trabajo o en la escuela o están efectuando compras. Por tanto hay que cerrar bien por breve que sea el tiempo que se permanezca fuera, como cuando se van a recoger los niños a la escuela e incluso si se trabaja en el extremo del jardín. Muchos robos se hacen sin necesidad de forzar puertas o ventanas, puesto que se habían dejado abiertas.

Todavía hay mucha gente que confía en las cerraduras de puerta y pestillos de ventana instalados por los constructores de la casa o piso. Tales elementos suelen ser puramente funcionales pero no están diseñados para ofrecer una verdadera seguridad. Para que la vivienda sea más segura pueden tomarse dos medidas. La primera de ellas consiste en mejorar las cerraduras y cerrojos, sustituyendo los tipos instalados por el constructor por otros modelos de mayor calidad y seguridad. Esta medida podríamos denominarla de «protección periférica», puesto que refuerza todas las aberturas del exterior. La segunda medida consiste en instalar aparatos de alarma que den aviso en el caso de que un intruso haya logrado rebasar la protección periférica. Naturalmente, la mejor protección que puede darse a cualquier vivienda es la que evita la entrada de intrusos. Los sistemas de alarma antirrobo son importantes pero constituyen una segunda línea de defensa. En caso de duda sobre este o cualquier otro punto que afecte a la seguridad, conviene que Vd. se ponga en contacto con el departamento de policía de su distrito. En él se le informará debidamente.

Es prácticamente imposible conseguir una protección periférica de una resistencia tal que no pueda ser soslayada por un determinado ladrón o intruso. Lo mejor que se logra es crearle muchas dificultades, hasta el extremo de que un aficionado no sea capaz de entrar y al ladrón profesional le resulte tan complicado penetrar en la casa que desista de intentarlo. Pero cuando exista algo en la vivienda que el ladrón conozca y le interese y esté dispuesto a conseguirlo, hallará la manera de entrar.

Un sistema de alarma no sólo advierte a los ocupantes de la vivienda de la entrada de un intruso, sino que constituye un disuasor muy importante para el ladrón. Resulta prácticamente imposible seguir hurtando mientras una alarma estridente está sonando dentro y fuera de la casa. Lo más probable es que por causa de la alarma el intruso emprenda una rápida huida.

Cuando la protección periférica no puede hacerse totalmente segura, ¿por qué no instalar una alarma y evitar el gasto que representa aumentar la seguridad de cerraduras y cerrojos? Esta es una decisión que ha de tomar el cabeza de familia. El plan puede tener éxito. Sin embargo, cuando alguién ha entrado en la casa, el efecto psicológico de sus ocupantes es mayor que si sólo se ha producido un intento frustrado. Ello puede decidir el futuro bienestar en la casa. Hay gente que considera imposible seguir viviendo en una casa que ha sido «violada» por un intruso o ladrón. Independientemente del efecto sobre los ocupantes, ninguna entrada es forzada sin ocasionar daños. No obstante, cuando un ladrón profesional no llega a producir daños es que no precisa hacerlos y en ningún caso por respeto hacia la propiedad, él no quiere perder tiempo; esto no suele ocurrir cuando se trata de un ladrón aficionado que puede intentar un acto vandálico.

Para planificar un sistema de protección es necesario conocer los riesgos y estimar la debilidad física de la vivienda. La entrada de intrusos puede tener lugar forzando ventanas o puertas, atacando a la persona que va a abrir la puerta o mediante engaños.

Con frecuencia se emplean tretas o engaños contra personas ancianas que son incapaces de reaccionar enérgicamente ante quien intenta aprovecharse de ellos. Ante tales ataques muy poco puede hacer un sistema preventivo. Una vez admitido, puede resultar sumamente difícil deshacerse del intruso. Hay dispositivos que facilitan la comprobación de identidades, como las cadenas de seguridad o una mirilla en la puerta; estos sistemas se tratan en el capítulo 1. Pero no hay nada que detenga un futuro engaño, a no ser que pueda preverse desde el principio.

Capítulo 1
Seguridad en las puertas

Como es obvio, el tipo de construcción y su localización influye decisivamente sobre la clase de protección periférica más conveniente. Es muy importante que observe su casa como si usted fuera un extraño que pretendiera penetrar en ella, a fin de decidir la clase de precauciones a adoptar. Una vivienda ofrece un fácil acceso si está separada de otras, es decir, si dispone de puertas y ventanas por sus cuatro costados. Una casa parcialmente unida a otras viviendas contiguas ofrece más oportunidades a los intrusos que las que no disponen de terrazas accesibles desde la vecindad. Las viviendas alejadas de la población, que no tienen vecinos en las proximidades, están más sujetas a los riesgos de ladrones que las que se hallan en zonas ciudadanas.

Una vez revisado el exterior de la casa desde estos puntos de vista, se pondrán de manifiesto aquellos lugares que requerirán medidas de protección, pero nunca debe olvidar los elementos de alrededor o de cerca de la casa que pueden ser útiles al ladrón o intruso. Es posible que haya algún cobertizo en el jardín o el mismo garaje, con herramientas e incluso escaleras de mano. Si estos lugares no se protegen con cerraduras sólidas u otros medios, o deja el garaje abierto para una mayor comodidad, puede que cualquier cosa existente en su interior sea de utilidad al ladrón para llevar a cabo sus propósitos.

Visitantes por la entrada

Siempre que considere las medidas protectoras en su hogar, vale la pena que preste atención a los intrusos que pueden penetrar por la puerta de entrada, usando engaños y trucos. Con demasiada frecuencia leemos en los periódicos incidentes producidos por falsos operarios o lectores de contadores que aprovechando la buena fe de personas ancianas penetran en la vivienda, robando e incluso asaltando a sus ocupantes. Resulta totalmente imposible establecer un plan de acción ante dichos casos, puesto que el éxito depende en gran parte de la capacidad de reacción de la persona que abre la puerta. Sin embargo, siempre es posible tomar ciertas medidas contra la persona que impide el cierre de la puerta «con el pie», con el intento de forzar la entrada en el momento que la cerradura está abierta. En este caso se utilizan cadenas de seguridad y mirillas (páginas 16 a 18).

En las viviendas que tienen entradas posteriores, y que forman parte de hileras de casas, por ejemplo, los ladrones pueden intentar introducirse del modo siguiente. Uno de los ladrones llama a la puerta de entrada haciéndose pasar por vendedor, para lo cual va provisto de un atractivo muestrario, o como individuo que realiza una encuesta. Esta persona, hombre o mujer, suele tener una buena apariencia, sabe hablar y es capaz de retener un buen rato al ocupante de la vivienda. Entretanto, su compañero penetra en la casa por la entrada posterior, si se ha dejado abierta, y dispone de tiempo para rebuscar en una o dos habitaciones antes de que el entrevistador de la puerta principal haya concluido.

En estos casos, siempre hay que tener la precaución de mantener cerradas y aseguradas las entradas posteriores, asegurándose de que lo están antes de atender una llamada por la puerta delantera. Más adelante trataremos de los accesorios para llevar a cabo esta sencilla protección.

Siempre es una buena inversión montar elementos de seguridad sólidos y fáciles de usar en todas las puertas y ventanas accesibles. Lo barato es poco rentable y a la larga resulta caro.

Cerraduras para puertas

La mayor parte de viviendas tienen una puerta frontal, o principal, que se mantiene cerrada mediante una cerradura de llave y pestillo. Con frecuencia se le suele conocer como cerradura «Yale», si bien esta denominación es la de una marca de fabricante de cerraduras de cilindro que integra la gama de pestillos nocturnos.

Debidamente utilizadas, estas cerraduras proporcionan una seguridad temporal a la puerta, permitiendo el paso de personas que dispongan de llave adecuada. No obstante, cuesta relativamente poco forzar estas cerraduras sin necesidad de la llave correspondiente, a no ser que la puerta se mantenga bien cerrada y esté hecha de madera sólida. Las puertas con paneles de vidrio, sobre todo aquellas formadas por una serie de pequeños paneles, son muy fácilmente vulnerables cuando sólo disponen de un sencillo pestillo como medio de seguridad. Los paneles pequeños de vidrio pueden sacarse o romperse sin dificultad, permitiendo pasar la mano para abrir el pestillo.

Encontramos en el mercado una amplia variedad de cerraduras capaces de proporcionar una buena seguridad; seguidamente pasamos a describir algunas de ellas. Al comprar una cerradura conviene dirigirse a un buen cerrajero o especialista en cerraduras, en lugar de ir a una tienda de ferretería. Debe conocer la anchura del montante de la puerta, pues no todas las carcasas de las cerraduras tienen el mismo tamaño. El montaje de los diferentes tipos de cerraduras es sencillo y bastante similar en todos; por lo general, se incluyen instrucciones de montaje junto a cada cerradura. Hay que prestar mucha atención a las dimensiones que figuran en las instrucciones de montaje, sobre todo cuando se trata de cerraduras de doble cierre. Si la distancia del centro del agujero a taladrar para el cilindro no se respeta completamente, puede que el pestillo no entre bien al cerrar la puerta.

Cerradura de golpe, sin llave

Las cerraduras de golpe se accionan con una llave especial. El pestillo va provisto de un muelle que lo introduce en el cerradero tan pronto se cierra la puerta, manteniéndolo en dicha posición. Para hacer retroceder el pestillo, venciendo la resistencia del resorte, y poder abrir la puerta, se utiliza un botón giratorio que se puede fijar en posición abierta mediante sistema de bloqueo. Esta es la forma más sencilla de cerradura que, en ningún caso ha de ser considerada como verdadera seguridad.

Cerraduras de golpe, con llave

Una moderna variante de la cerradura antes descrita lleva un pestillo con una sección central deslizable que cierra o bloquea automáticamente cuando se ejerce presión con alguna herramienta que pudiera usar un ladrón. La llave de entrada puede usarse para bloquear el botón interior y dejarlo inmovilizado; para ello se introduce el llavín en la ranura del cilindro y se hace girar una vuelta completa en sentido opuesto al del movimiento de abertura. El pestillo con el resorte puede bloquearse en posición abierta o cerrada mediante un botón situado en la parte interior.

Este tipo de cerradura proporciona mayor seguridad en las puertas con paneles de

Modelo de cerradura de golpe con pestillo bloqueable (tipo estándar y estrecho). Una vez la puerta cerrada, es posible bloquear el pestillo desde fuera, haciendo girar la llave; entonces resulta imposible girar la manecilla del interior, por lo que aumenta la seguridad cuando se utiliza en puertas provistas de cristales (gentileza de Yale).

vidrio, pues aun en el caso de que se rompa uno de los cristales, no es posible mover el botón o palanca interior si no ha sido desbloqueado con la llave adecuada.

Cerradura de doble pestillo de mayor seguridad

Las cerraduras de doble pestillo poseen más refinamientos que las de golpe. En realidad y como su nombre indica, llevan dos pestillos: uno de ellos actúa tal como se ha descrito en las cerraduras de golpe, mientras que el otro está formado por un pasador que únicamente puede moverse con llave, no llevando ningún muelle que lo cierre automáticamente. Como sea que tanto el pestillo con muelle como el pasador se pueden accionar desde el exterior con una llave, la cerradura asegura la puerta con dos pasadores. De este modo se incrementa la seguridad y resulta muy adecuada para puertas con cristales. El pasador de muelle se puede bloquear en posición abierta o cerrada desde el interior.

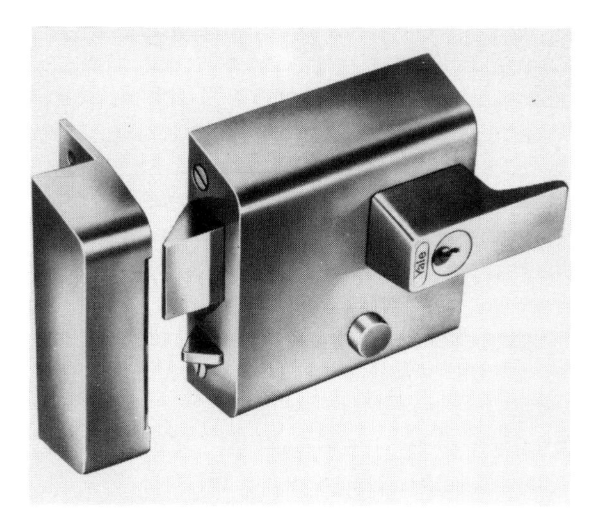

Una cerradura de doble pestillo que se bloquea automáticamente al cerrar la puerta. La manecilla interior se puede desbloquear con la misma llave que sirve para el cilindro externo; también puede bloquearse mediante el botón que lleva anexo. Este tipo de cerraduras puede suministrarse en versión estrecha (gentileza de Yale).

Cerraduras embutidas

Si se utiliza una sencilla cerradura de golpe,

Otro modelo de bloqueo automático o de golpe, para montantes estrechos. El botón permite bloquearla desde el interior sin interferir para nada la acción de la llave desde fuera (gentileza de Ingersoll).

sin llave, vale la pena añadir otra fuerte cerradura embutida de pasador, con lo cual aumenta la seguridad de la vivienda al dejarla desocupada durante un período, aunque sea breve. Lo mejor que podemos hacer es instalar cerraduras embutidas en todas las puertas exteriores de la casa, independientemente de los demás medios de seguridad que se utilicen.

Las cerraduras embutidas se diferencian de las de golpe o de doble pestillo por el hecho de que se montan *dentro* de la puerta. (En general se piensa que las cerraduras de embutir sólo pueden instalarse en las puertas de madera puesto que resulta más fácil hacer el encaje para alojarlas, pero existen cerraduras de este tipo especiales para puertas metálicas.) Las cerraduras embutidas son más seguras que las sobrepuestas dado que no pueden forzarse sin destruir la puerta y marco contiguos.

Cerradura de titanio, de alta seguridad, provista de doble cilindro, según la norma BS 3621, con protección antitaladro para el cuerpo y antisierra para el pasador, cerradero con caja y registro de llaves a nombre del propietario (gentileza de Yale).

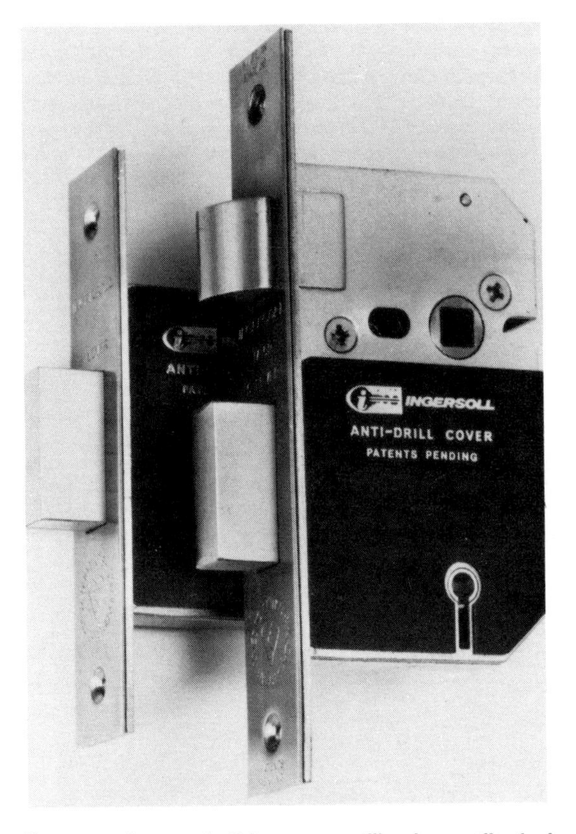

Una cerradura embutida con pestillo de muelle (a la derecha) y sólo con pasador (a la izquierda). Estas cerraduras tienen cinco anillos con otras tantas palanquitas, de acuerdo con la norma BS 3621, y están diseñadas para sustituir a las de dos y tres palancas que hubiera instaladas, sin necesidad de modificar la puerta o pomo; fíjese en la tapeta blindada que impide su taladrado (gentileza de Ingersoll).

Las cerraduras embutidas de alta calidad llevan placas de acero templado para evitar que pueda utilizarse el taladro y, además, disponen de cinco anillos cilíndricos, como mínimo, para posibilitar una gran cantidad de variantes en la llave. El hecho de disponer de cinco anillos cilíndricos significa que hay cinco palanquitas móviles, cada una de las cuales puede tener una distinta ranura en la llave. Para poder abrir la cerradura, la llave debe tener una forma que coincida con cada palanquita, en el orden correcto. Cualquier discrepancia impide que la llave puede girar. Las cerraduras construidas de acuerdo con la norma británica 3621 son las que ofrecen una mayor seguridad, siendo posible usar más de 1000 modelos diferentes de llave en un solo modelo de cerradura.

Naturalmente, las cerraduras embutidas de seguridad están hechas para utilizarlas en puertas exteriores. Algunos fabricantes suministran un tipo de cerradura embutida provista de pestillo con destino a puertas interiores. Estas cerraduras, por lo general con sólo dos palanquitas móviles, no deben ser usadas para puertas exteriores si lo que se busca es la seguridad. Instaladas en algunas puertas interiores pueden dificultar algo el avance de un intruso, hasta el punto de desanimarle a continuar. No obstante, en las puertas exteriores, la mayoría de cerraduras de dos palanquitas no ofrecen la necesaria resistencia como para soportar el ataque de un ladrón, y no pueden considerarse seguras.

Existen variantes de cerraduras embutidas para satisfacer las diferentes necesidades. Hay modelos destinados a la seguridad de establecimientos comerciales. No es frecuente encontrar especificaciones concretas para uso doméstico, pero el cabeza de familia puede estar tranquilo si adquiere una cerradu-

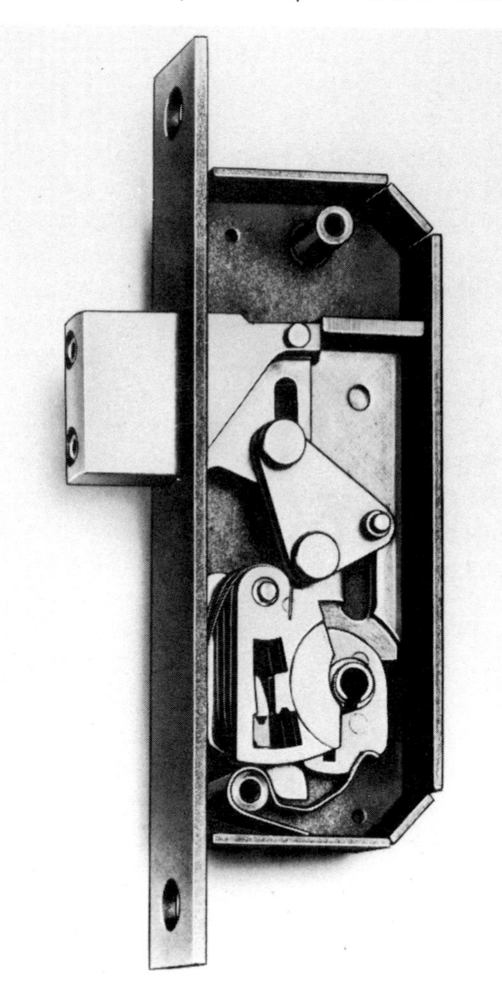

Secciones de dos cerraduras embutidas de cinco palancas, ajustadas a la norma BS 3621: una para montantes delgados y la otra estándar de doble pestillo; ambas llevan protección antitaladro y se suministran con cerraderos de caja (gentileza de Chubb).

ra que esté de acuerdo con la norma británica 3621.

El modelo de cerradura embutida normal sólo lleva un pasador. Es decir, el pasador únicamente se mueve de su posición cerrada a abierta, y viceversa, con ayuda de la llave, y por tanto ofrece seguridad ante la presión ejercida sobre la puerta. No es posible usar accesorios para la puerta (botón o palanca). Con la puerta cerrada, tan sólo puede verse el agujero de la llave, el cual suele cubrirse con un escudo. Para facilitar el cierre y abertura de la puerta en condiciones normales, puede instalarse una cerradura de golpe o un modelo de cerradura embutida provista de pestillo adicional con muelle, que pueda ser movido con ayuda de un botón o palanca.

Montaje de una cerradura embutida

Al sacar parte de la madera del montante de la puerta para poder alojar la cerradura, es evidente que la puerta sufre un debilitamiento. Si se quita mucha madera, la posición de la cerradura puede resultar insegura. Se recomienda buscar una cerradura delgada si el grosor de la puerta es inferior a los 45 mm (1 3/4 pulgadas). Si el grueso no llega a los 38 mm (1 1/2 pulgadas) es preferible utilizar una cerradura con pasador de llave que puede colocarse sobre la madera en lugar de embutirla.

Las cerraduras también tienen cuerpos de diferente longitud. Las puertas con paneles de vidrio cuyo montante tenga menos de 90 mm (3 1/2 pulgadas) de ancho, pueden presentar problemas, pues el rebaje necesario para alojar la cerradura puede alcanzar hasta el rebaje para el cristal.

Antes de comprar la cerradura, asegúrese que ha anotado bien las dimensiones de la puerta. Las medidas corrientes de las cerraduras embutidas de un solo pasador son, aproximadamente:

Cuerpo de 63 mm (2 1/2 pulgadas) de ancho por 76 mm (3 pulgadas) de alto por 15 mm (9/16 pulgada) de grueso.

Las mismas medidas para una cerradura embutida provista de pestillo adicional accionado por botón o palanca serán, aproximadamente:

Cuerpo de 63 mm (2 1/2 pulgadas) de ancho por 108 mm (4 1/4 pulgadas) de alto por 15 mm (9/16 pulgada) de grueso.

La placa frontal es de 165 mm (6 1/2 pulgadas) por 25 mm (1 pulgada).

Todas estas dimensiones son puramente orientativas, y pueden variar entre los diferentes fabricantes. El rebaje para la placa de la cerradura en el canto de la puerta debe hacerse de 1 1/2 veces su grosor, para asegurar que ajusta perfectamente al nivel de la madera. Algunos fabricantes de cerraduras construyen cuerpos o cajas de acero templado para evitar que puedan perforarse con un taladro. Otros facilitan una placa de acero templado que se atornilla sobre la cerradura, cerca de la superficie externa; al hacer el rebaje para alojar la cerradura hay que tener en cuenta el grosor de esta placa. La cerradura debe encajar fácil pero firmemente dentro de la ranura que le servirá de alojamiento, sin que sea preciso forzarla pero tampoco hasta el punto que se mueva dentro de ella.

Una vez hecho el alojamiento adecuado para la cerradura, hay que hacer el agujero para el paso de la llave. Para ello hay que medir cuidadosamente la distancia existente entre la placa frontal y el centro del agujero para la llave, con lo cual se podrá marcar exactamente su posición en relación al montante. La medida desde la parte inferior del cuerpo de la cerradura, nos indicará su posición en sentido vertical. Hay que trasladar estas dimensiones al montante de la puerta y hacer un agujero de prueba con una broca de 1/8 pulgada, asegurándose que la posición de la broca sea perpendicular a la superficie del montante. El empleo de una broca de

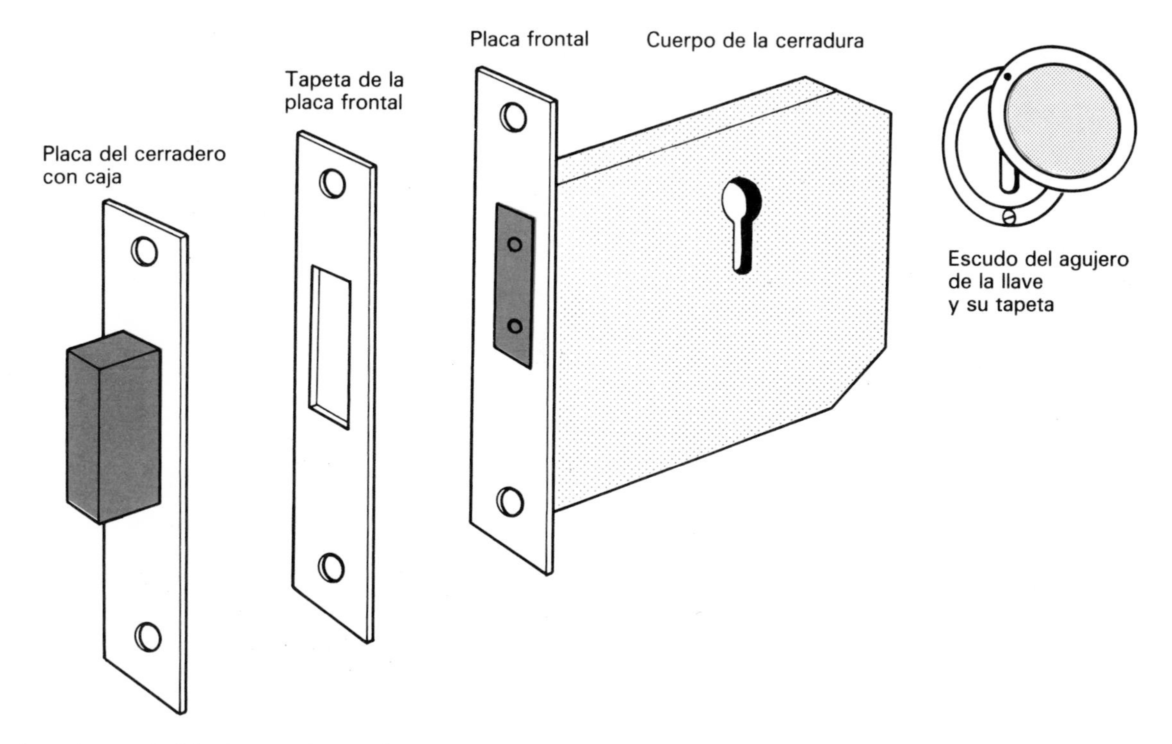

Cerradura embutida de un solo pasador.

pequeño diámetro facilita cualquier corrección de la posición del agujero.

Saque la broca y coloque la cerradura en su alojamiento. Debe ser posible pasar un pedazo de alambre recto por el agujero de la broca, a través del agujero para la llave, hasta el otro lado del montante. Una vez hecha esta comprobación, podrá seguir practicando nuevos agujeros hasta dar paso a toda la forma de la parte de cierre de la cerradura. La parte superior se termina con una broca de 1/4 pulgada para el eje de la llave y el resto del agujero se reajusta con un formón bien afilado.

Compruebe que no hayan virutas de madera en el encaste para la cerradura embutida, colóquela y verifique el correcto funcionamiento de la llave. Tan sólo cuando esté satisfecho de la posición y funcionamiento de la cerradura, podrá montar la placa frontal, fijándola con los correspondientes tornillos. Luego coloque la plaquita de escudo, y la tapeta frontal.

Naturalmente, el último trabajo consistirá en montar la placa del cerradero. Esta placa tiene una forma parecida a la placa frontal, pero tiene una cajita metálica en un costado. Esta cajita debe engastarse en el marco de la puerta, en la misma posición donde coincida la cerradura. Para estar seguro que la posición vertical sea exacta, coloque un par de trozos de cinta adhesiva sobre la plaquita frontal de la cerradura, de modo que los bordes de la cinta rocen suavemente el pasador o pestillo (véase el dibujo de página siguiente). Cierre la puerta y marque en el marco de la misma la posición de cada cinta. Volviendo a abrir la puerta, trace una línea transversal sobre el marco, que vaya a una y otra señal, con lo cual dispondremos de la posición superior e inferior de la placa del cerradero. Mida la situación de la línea verti-

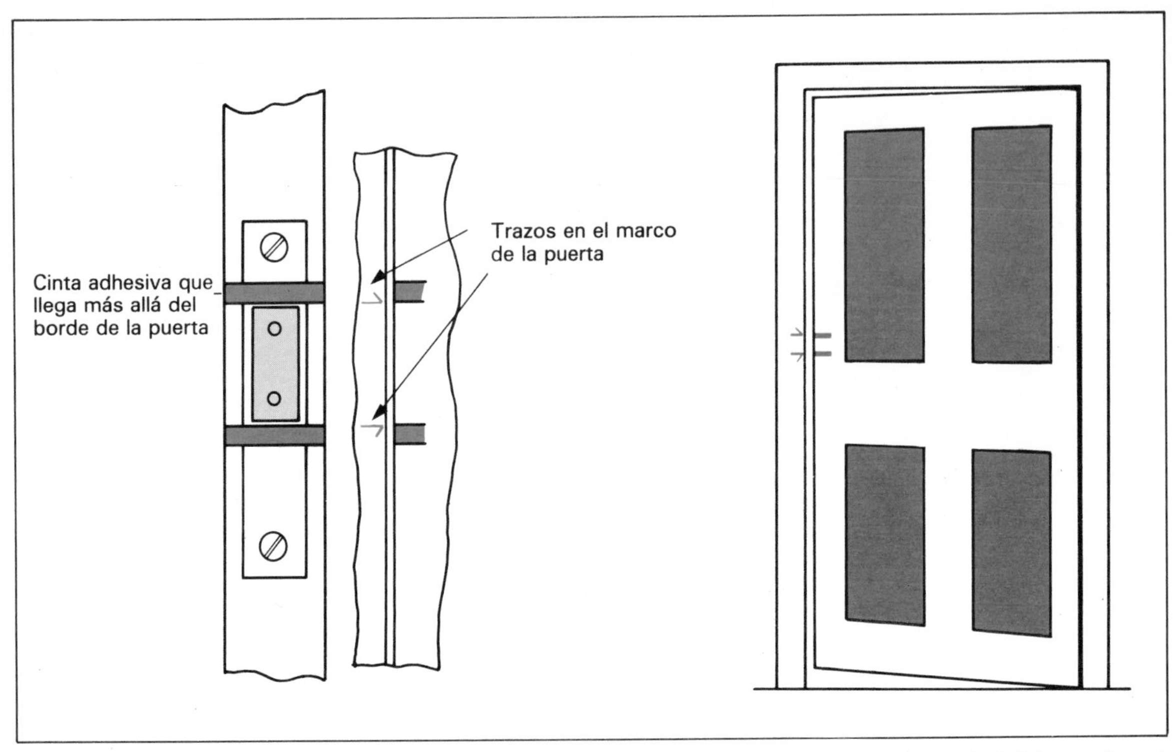

Modo de marcar la posición del pasador o pestillo a fin de determinar la correcta posición vertical del cerradero de una cerradura embutida.

cal central y señale la posición exacta del pasador o pestillo, cortando el rebaje que sea estrictamente necesario.

Hay algunos modelos antiguos de cerraduras embutidas que sólo llevan plaquitas cortas. En tales casos, o cuando las plaquitas del cerradero no coincidan exactamente con la longitud de la placa frontal de la cerradura, hay que efectuar los ajustes necesarios en las dimensiones utilizando marcas hechas con cinta adhesiva.

Otros tipos de cerradura embutida

Existe un tipo de cerradura embutida de un solo pasador, equipada con un microinterruptor dentro de la caja que suele ser conocida como «cerradura con derivación». Esta clase de cerraduras se utilizan en los sistemas de alarma antirrobo.

Una variante de las cerraduras embutidas rectangulares está constituida por un modelo construido dentro del pomo de la puerta, con lo cual se obtiene diferente aspecto. La cerradura lleva cinco anillos cilíndricos y, cuando no está cerrada con llave, puede usarse como pestillo de resorte, el cual se mueve haciendo girar el pomo. Al estar cerrada con la llave que se introduce en el centro del pomo exterior, el pestillo queda bloqueado. Hay una gama de estos accesorios con diferentes disposiciones de pestillo y pasador; el modelo de la ilustración es adecuado para puertas exteriores que tengan más de 38 mm (1 1/2 pulgadas) de grosor. Para taladrar los agujeros y montar estas cerraduras, se facilitan las instrucciones con cada una de ellas al adquirirlas. Éstas presentan la ventaja de requerir cavidades más reducidas que las cerraduras convencionales, siendo sólo necesario usar taladros.

Accesorios adicionales para asegurar las puertas

Los tipos de cerraduras que hemos descrito tan sólo aseguran hasta cierto punto. El grado de seguridad depende de la resistencia de la puerta y su marco, del buen ajuste de la misma y del sentido de abertura.

Por motivos de comodidad, las cerraduras utilizadas en el hogar se colocan aproximadamente en la línea de media altura de las puertas. Esto hace que quede una distancia de 1,2 a 1,5 metros (4 a 5 pies) entre la posición de la cerradura y el extremo inferior de la puerta el cual puede ser forzado con una palanca.

Cuando se abandona la casa temporalmente, poco más se puede hacer que asegurar la puerta con una cerradura de doble pestillo, tal como se ha indicado antes, y otra cerradura embutida con pasador. Mediante un par de cerraduras se reduce considerablemente el riesgo de que la puerta sea forzada con una palanca, siempre y cuando ambas cerraduras estén convenientemente espaciadas. También existe un modelo de cadena de seguridad para puerta que puede cerrarse

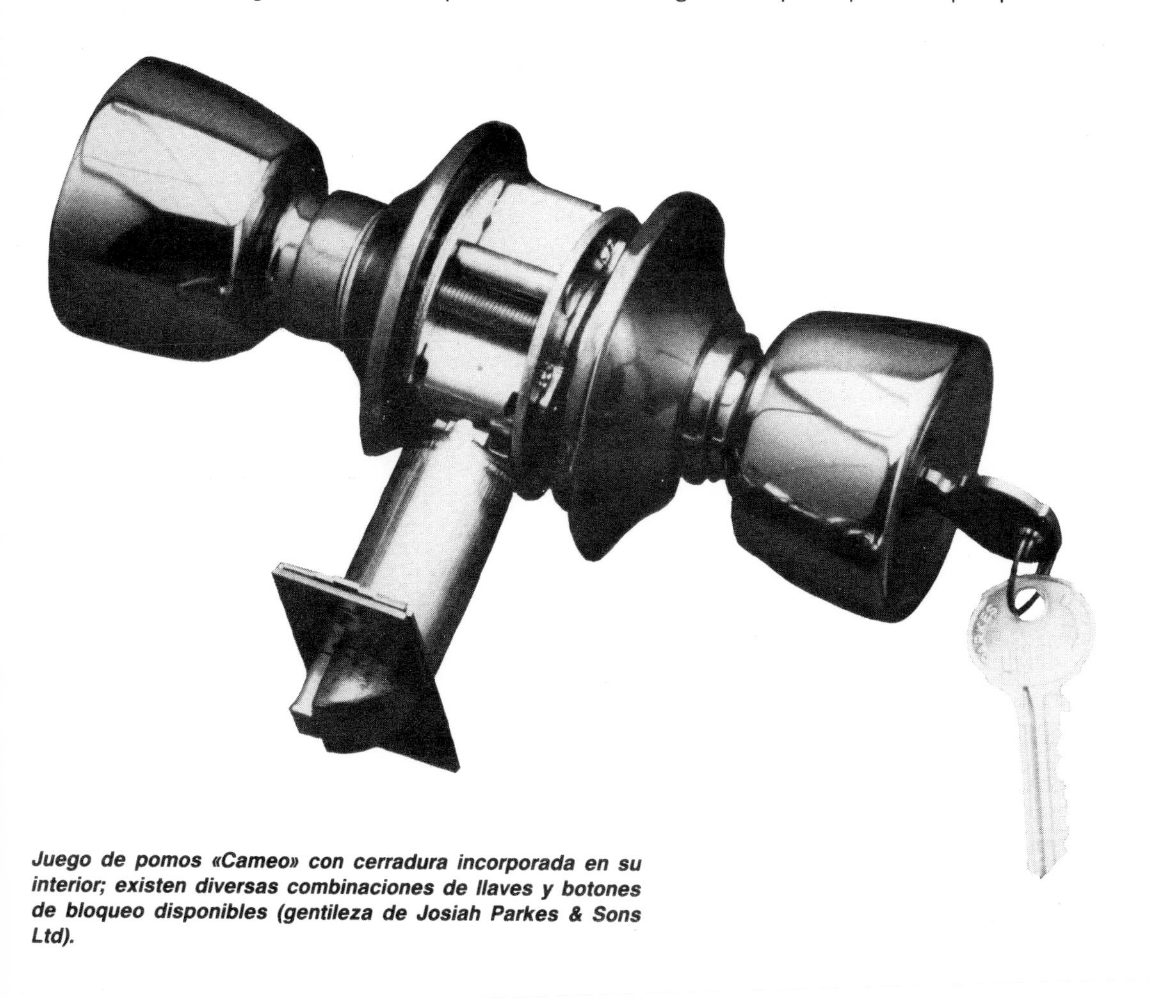

Juego de pomos «Cameo» con cerradura incorporada en su interior; existen diversas combinaciones de llaves y botones de bloqueo disponibles (gentileza de Josiah Parkes & Sons Ltd).

desde el exterior; véase la página 17. Pero antes de tratar de cadenas, veamos qué medidas adicionales de seguridad se pueden adoptar para reforzar una puerta desde su interior.

Pasadores sencillos para puertas

Hay muchos modelos de pasadores que sirven para asegurar puertas. Dado que los pasadores se colocan por el interior de la puerta y están siempre a la vista, hay que tener en cuenta su aspecto al elegirlos. No obstante, muchos de los pasadores que se venden en las ferreterías son más decorativos que eficaces. Recuerde que la resistencia es lo más importante. Es preciso que para el pasador haya un alojamiento tan resistente como él, y en el cual ajuste perfectamente; asimismo, conviene que existan ranuras para poder dejar bloqueado el pasador mientras se halla en posición de cerrado.

Es sorprendente ver que con frecuencia el pasador de una puerta se pone tan cerca de la cerradura que casi no ofrece resistencia al apalancamiento. La disposición correcta consiste en colocar un pasador en la parte superior de la puerta y otro en la parte inferior. Cuando la puerta lo permite, se logra una cierta resistencia adicional si el pasador superior se coloca de manera que quede sujeto en el travesaño alto del marco, en vez de disponerlo en posición horizontal. No siempre es recomendable poner el pasador inferior de manera que penetre en el suelo, pues en el agujero se deposita el polvo y otras materias que pueden dificultar la introducción del pasador y resultar inútil.

Los pasadores sólo resisten lo que son capaces de resistir los tornillos utilizados para su fijación y el material donde se sujetan. Naturalmente, las puertas metálicas que disponen de pasadores asegurados con tornillos y tuercas roscadas son muy seguras. Los pasadores colocados sobre maderas duras

Un pasador de cierre automático que sólo precisa la presión de los dedos para su cierre, mientras que requiere una llave para abrirlo; resulta útil cuando se quiere dar seguridad adicional a las puertas (gentileza de Ingersoll).

aguantan más que los montados sobre maderas blandas. Los tornillos que se suministran con los pasadores suelen ser inadecuados, pues o son demasiado cortos o demasiado delgados para que resulten realmente seguros. Si los agujeros de los tornillos son avellanados, es aconsejable usar tornillos más largos y gruesos.

Una de las debilidades de los pasadores que se colocan en la superficie de la puerta consiste en que si hay paneles de vidrio en la misma puerta en zonas contiguas, cualquier intruso tiene fácil acceso a los mismos.

Pasadores de cremallera

Un tipo de pasador que tiene buen aspecto y evita que pueda ser abierto por extraños, es el denominado de cremallera. Este pasador va dentro de un cilindro y se puede mover a uno y otro lado por medio de una llave que engrana con una cremallera dispuesta dentro del cilindro. Para la instalación de un pasador

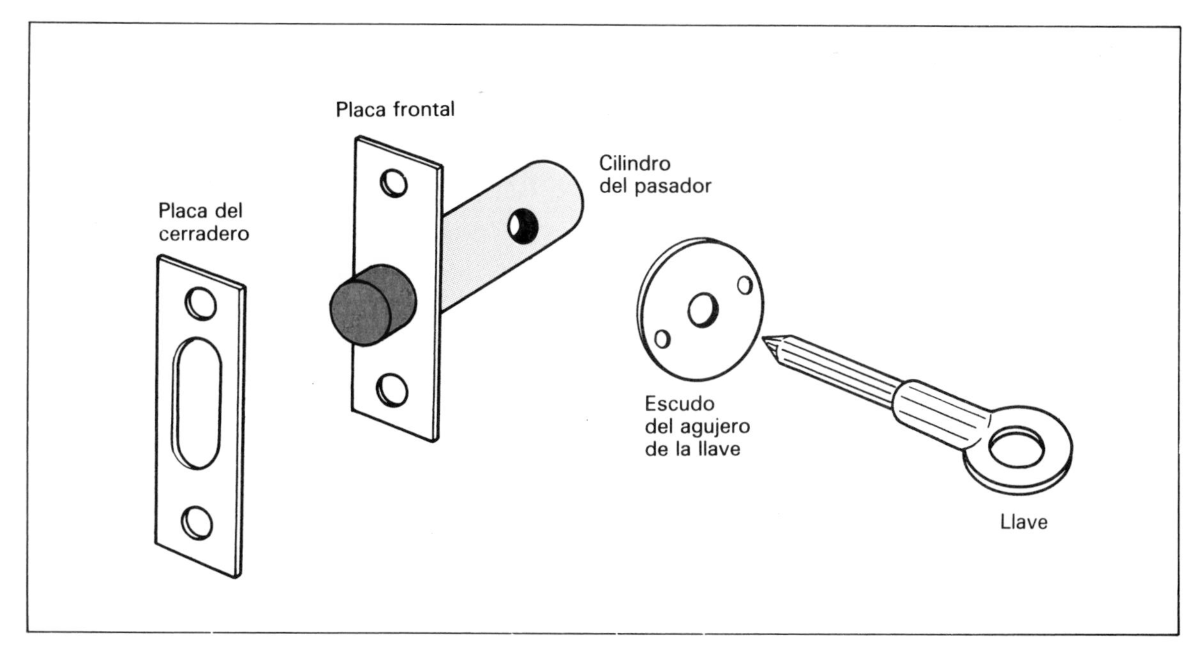

Pasador de cremallera adecuado para puertas (los pasadores de cremallera para ventana tienen el cilindro más corto).

de cremallera basta taladrar un agujero del diámetro adecuado en el punto escogido de la línea central vertical del canto de la puerta. Una placa frontal de forma rectangular sirve para asegurar el pasador en el agujero taladrado, y se engasta para que quede al nivel de la puerta. El método es parecido al que se ha descrito para el montaje de una cerradura embutida, pero existe una diferencia básica. El agujero para el paso de la llave utilizada para abrir y cerrar el pasador sólo se hace en la cara interna de la puerta. En ningún caso el agujero debe atravesar hasta la cara externa de la puerta, puesto que en la parte exterior de la misma nada debe indicar la presencia del pasador.

Pivotes para las bisagras

Estos pivotes se utilizan en puertas que se abren hacia fuera. Tienen por objeto evitar que alguien pueda forzar el costado de las bisagras de dichas puertas. Cuando una

Un pasador de cremallera embutido en la puerta resulta completamente invisible desde el exterior (gentileza de Chubb).

puerta se abre de dentro a fuera, las bisagras muestran sus ejes en la parte exterior. Resulta posible sacar dichos ejes con ayuda de un punzón y abrir la puerta con una simple palanca. Los pivotes de bisagra están montados del mismo modo que los pasadores de cremallera, pero en puerta y marco junto a las bisagras superior e inferior. Al contrario que los pasadores de cremallera, no es preciso que los pivotes puedan moverse con ayuda de una llave a fin de abrirlos y cerrarlos. Basta cerrar la puerta para que el pivote entre en el encaje metálico destinado al mismo. Una puerta asegurada con pivotes en el lado de las bisagras y pasadores embutidos en el costado de la cerradura resulta prácticamente inamovible sin destruir las zonas contiguas a las posiciones de pasadores y pivotes. Dado que ninguno de los elementos citados puede

Los pivotes de bisagra actúan automáticamente al cerrar la puerta; son imprescindibles cuando las puertas se abren hacia fuera y proporcionan una protección complementaría de las que se abren hacia dentro (gentileza de Ingersoll).

ser descubierto desde la parte exterior cuando la puerta está cerrada, constituye un seguro muy resistente.

Cadenas de seguridad para puertas

La mayoría de gente presta máxima atención para asegurar la puerta de la calle. Naturalmente, esto es muy lógico, pero no suele prestarse bastante atención a la entrada posterior, aunque la mayor parte de las incursiones tienen lugar por sitios distintos a la puerta principal. Por ejemplo, mientras la familia está sentada en la sala mirando la televisión, con la puerta principal bien cerrada, un intruso puede penetrar por una ventana o por la puerta trasera. También suele ocurrir que, estando alguien solo en la casa, llame un delincuente para entretenerlo conversando de cualquier tema y retenerlo en la puerta delantera, mientas un cómplice entra por la entrada posterior. Es posible tener que vérselas alguna vez con alguien que «pone el pie en la puerta». Una forma sencilla de tomar precauciones en estos casos, sin tener que preocuparse de la llave, es instalar una cadena de seguridad. La mayor parte de cadenas de seguridad se instalan en la puerta principal, pero también resulta muy útil disponer de un sistema de accionamiento rápido de esta clase en la puerta trasera.

La cadena ha de tener la longitud justa para que la persona del interior pueda observar a la que está fuera. En cualquier caso, su longitud no debe permitir que nadie pueda meter el hombro entre la puerta y su marco, puesto que ejerciendo fuerza podría arrancar la fijación de la cadena, sobre todo si se trata de una persona robusta. Por otro lado, si el marco de la puerta está junto a un ángulo de la pared, la cadena debe permitir abrir lo bastante para poder ver la persona que llama. Por tanto, hay que medir cuidadosamente la longitud de la cadena requerida antes de comprarla. Es preferible adquirirla a un cerrajero, en lugar de la ferretería, puesto que la calidad de la cadena será mejor.

El tipo de cadena que no tiene cerradura tan sólo puede usarse desde la parte interior. No obstante, hay algunos fabricantes de cadenas de seguridad que suministran modelos con un extremo capaz de introducirse en un cierre deslizable. Este tipo tiene la longitud suficiente para que el usuario pueda introducir una mano desde la parte exterior, justo a través del espacio que deja la puerta casi cerrada, y meter el extremo en el cierre. La cadena no puede sacarse si no se dispone de la llave adecuada. Para sacar la cadena hay que abrir la puerta del modo acostumbrado, todo lo que permita la cadena, y luego se emplea la llave para desbloquear el cierre de la misma. Al girar la llave, el extremo de la cadena cae por su propio peso, dejando la entrada libre.

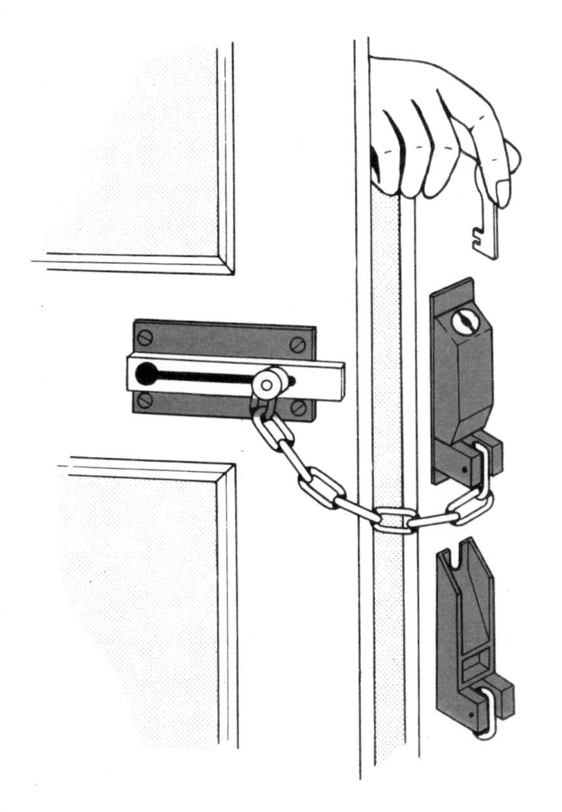

Cadena de seguridad para puertas: el gancho que lleva la cadena se introduce en el accesorio de cierre y cerradura de resorte. Es posible abrirla desde el exterior mediante una llave.

Las cadenas de seguridad para puertas no están pensadas para su empleo durante la noche, sino que sirven únicamente para verificar la identidad de la persona que llama a la puerta. Cuando se utilizan las cerraduras de seguridad adecuadas, el empleo de una cadena de seguridad durante la noche no sirve para aumentar dicha seguridad. En realidad, incluso pueden ser un problema. Ha habido casos en que algunas personas mayores dejaron llaves a parientes o conocidos para el caso de que les ocurriera algo; si la ayuda se hizo necesaria, la cadena de seguridad impidió el rápido socorro. Cuando una persona se siente más segura teniendo la cadena colocada, pero al propio tiempo puede necesitar ayuda exterior, es preciso elegir un modelo de cadena con cierre de llave, gracias a la cual no se retrasará la asistencia en caso de necesidad.

Mirillas de puerta

Las mirillas de puerta permiten a la persona que está en el interior de la vivienda observar a quien haya llamado a la puerta, sin necesidad de abrirla. Consiste en un pequeño tubo de cristal, de unos 18 mm (3/4 pulgada) de diámetro, que se introduce desde el exterior a través de un agujero taladrado en la puerta, a la altura de los ojos. El tubo contiene una pequeña lente de aumento del tipo gran angular que, desde el interior, permite observar un ángulo de 170°, sin que desde el exterior se pueda observar a quien se encuentra en el interior.

Una pequeña pestaña sirve para tapar el borde externo del agujero. Por la parte interior, el tubo se fija con una tuerca redonda que al mismo tiempo se utiliza como ocular. Asimismo, en la parte interior hay una tapeta móvil que protege la lente del visor; evita que desde fuera pueda detectarse las luces del

Mirilla para puerta, adaptable a diferentes grosores de puerta.

interior de la casa; impidiendo cualquier posibilidad de ver algo desde el exterior. En las puertas barnizadas o pintadas en colores oscuros, las mirillas pasan casi desapercibidas. En las puertas pintadas de color claro se puede buscar algún tipo de elemento decorativo y colocarlo alrededor del agujero, como por ejemplo las «tallas» de plástico que utilizan los decoradores.

Hay visores con tubos extensibles para poder montarlos en puertas extra gruesas, hasta un máximo de 75 mm (3 pulgadas). Las dimensiones y el ángulo abarcado por la lente varían según el fabricante.

Obviamente, cuando se instala una mirilla de puerta, no es mala idea colocar una luz en el exterior. Estas luces hacen que muchos intrusos desistan de sus intenciones.

Puertas correderas y deslizantes

Las llamadas puertas «deslizantes», en realidad no se deslizan, sino que se desplazan sobre unas ruedas que recorren una guía. Las puertas de aluminio de doble cristal, que tan populares son actualmente para vidrieras de patios, están construidas con tanta precisión, tanto en su parte superior como inferior, que permiten un fácil deslizamiento lateral. Pero independientemente de la precisión en su parte alta y baja, el punto débil de las mismas hay que buscarlo en sus guías y la posibilidad que ofrecen a ser forzadas. Muchos modelos están montados con un sencillo pasador que ajusta en un cerradero del marco de la puerta, algo más arriba del centro vertical de la puerta. El pasador o pestillo suele disponer de un pequeño sistema de bloqueo manual para impedir que se pueda abrir, siempre y cuando no exista espacio entre puerta y marco para poder introducir una palanca. Si fuera posible emplear una palanca, quizás se podría estropear el conjunto y

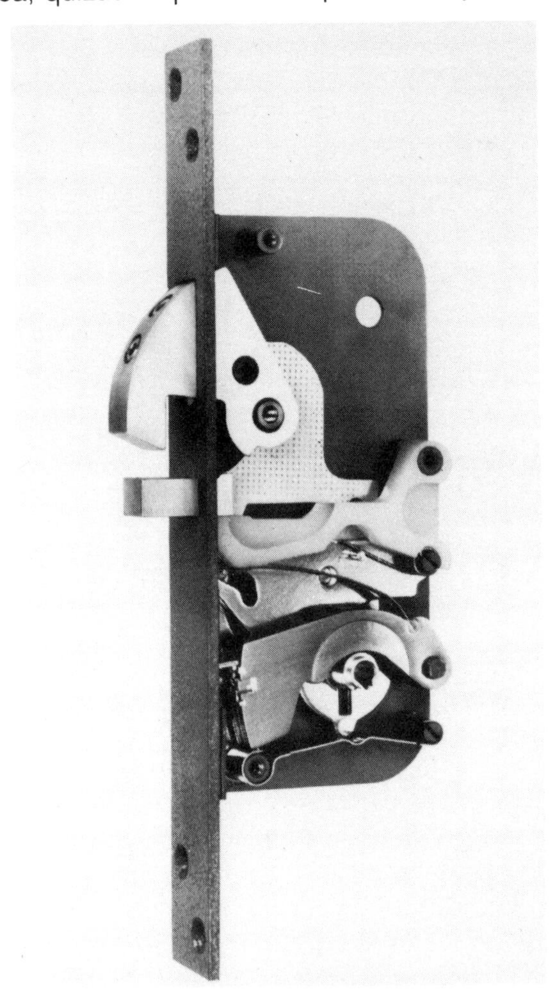

Corte de una cerradura embutida especial para puertas correderas: los pestillos de gancho, reforzados, mantienen la puerta unida a su marco, mientras que el pasador fijo impide que la puerta pueda alzarse para desenganchar el pestillo (gentileza de Chubb).

Esta cerradura especial para puertas de patios, de fácil colocación, tiene un pasador que evita el movimiento lateral de la puerta y la posibilidad de alzarla; para cerrarla basta ejercer presión, siendo necesaría una llave para abrirla (gentileza de Copydex).

llegar a abrir, pero para ello sería preciso hacer mucho ruido.

Si las puertas son antiguas, construidas de madera, y están algo deformadas o torcidas, las posibilidades que tiene un ladrón para forzar la puerta o sus guías (sobre todo cuando hay guías en la parte superior e inferior) son muy superiores.

La mejor precaución que se puede tomar con las modernas puertas es poner un pasador en cada ángulo de la parte móvil, naturalmente por el interior, de manera que cualquier intento para forzar la puerta por el lado de cierre, resulte prácticamente imposible. Otra posibilidad consiste en utilizar una cerradura deslizante especial que se pone en el canto posterior y se cierra con llave.

Las unidades de doble cristal, montadas en fábrica, suelen instalarse en puertas de aluminio, impidiendo cualquier intento de cortar el vidrio alrededor de la cerradura y de los pasadores de seguridad. Las puertas viejas, en especial las de madera, pueden asegurarse colocando pasadores en su cara interior, de modo que se introduzcan en la parte superior del marco, junto al borde de cierre, con lo que se evita el movimiento de la puerta en la guía. Las guías superiores pueden presentar problemas para montar pasadores que se muevan verticalmente. En tal caso, no existirá más alternativa que ponerlos en la guía inferior. Para evitar que el polvo introducido en el agujero donde se aloja el pasador pueda dificultar su cierre, se aconseja taladrar a mayor profundidad de la necesaria. Aun así es preciso limpiar regularmente dicho agujero.

Puertas exteriores, candados, barras de seguridad

La mayoría de personas presta muy poca atención a los candados y otros tipos de cerraduras portátiles. Normalmente, los candados se emplean para asegurar puertas que protegen bienes privados, evitando la curiosidad de intrusos, más que para evitar la entrada de ladrones. Muchos tipos de candados son demasiado débiles para poder resistir el simple golpe de martillo u otra herramienta pesada. Existe una gama de candados y barras de seguridad con una norma de calidad muy superior a lo que se cree, y perfectamente útiles para proteger bienes domésticos. En el espacio existente entre una cerradura inadecuada y una de alta seguridad, hay una amplia gama de candados capaces de impedir la entrada a un ladrón.

Los lugares que precisan esta clase de seguridad son los garajes, sobre todo aquellos que tienen puertas con bisagras o correderas, y los cobertizos del jardín. Algunos de

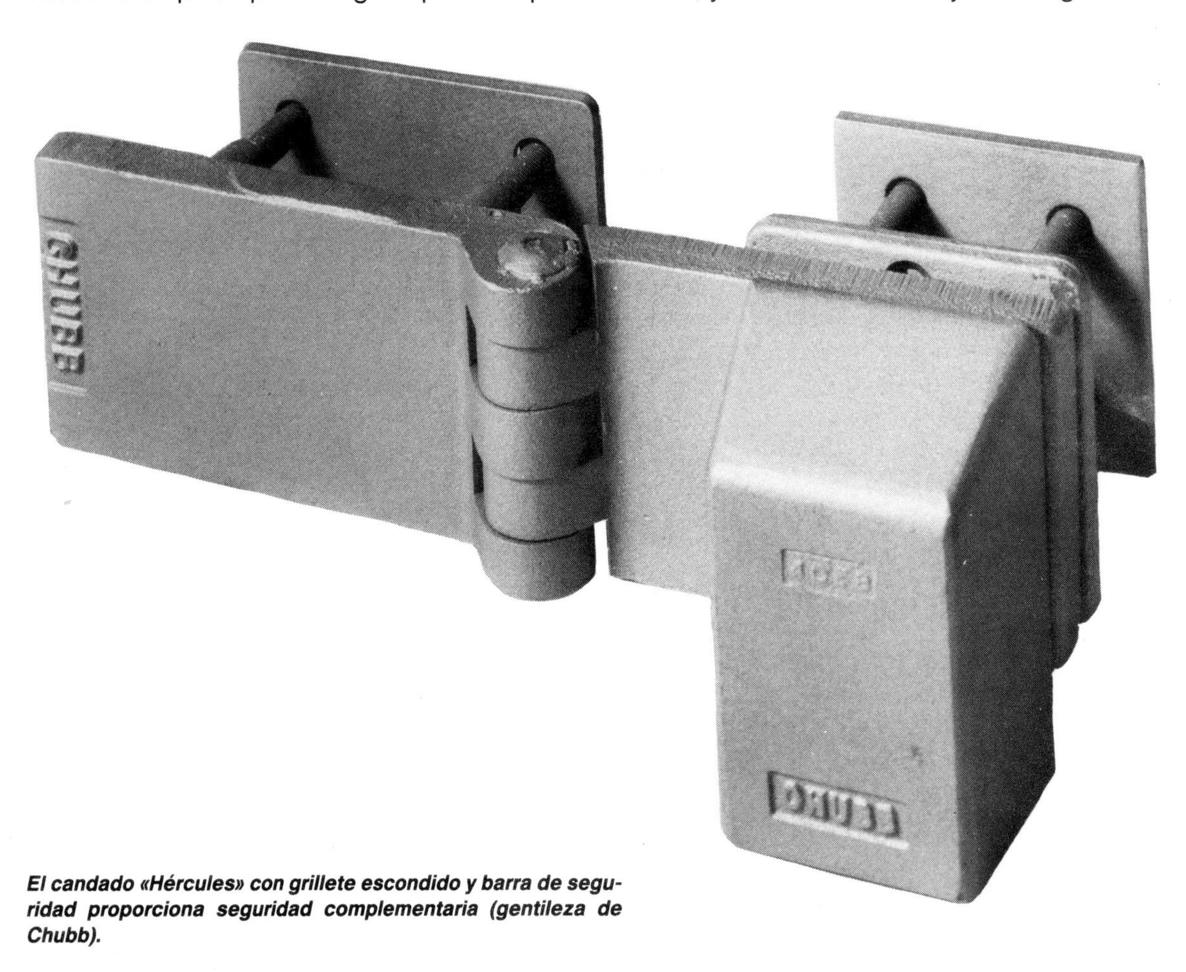

El candado «Hércules» con grillete escondido y barra de seguridad proporciona seguridad complementaria (gentileza de Chubb).

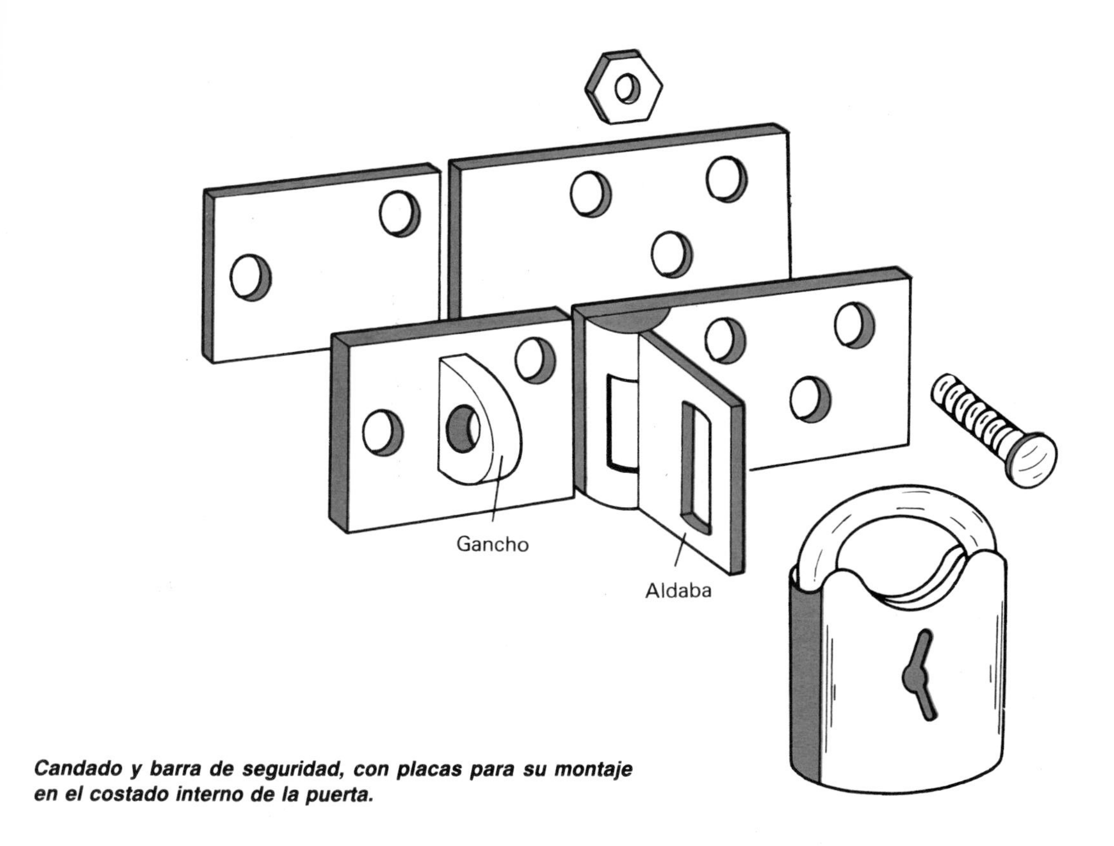

Candado y barra de seguridad, con placas para su montaje en el costado interno de la puerta.

los elementos más útiles para los ladrones son las escaleras de mano, palancas u otras barras de hierro, herramientas para el corte de madera o ladrillos, y brocas de todas clases. Mucha gente no cree que una pala pueda ser un utensilio apto para forzar una entrada, pero si tiene un borde afilado, puede introducirse en cualquier rendija y ejercer considerable presión para abrir puertas y ventanas. Todas estas cosas han de almacenarse en un lugar provisto de cerradura de seguridad y encerradas bajo llave. Los ladrones sabrán utilizar cualquier cosa que encuentren cerca de la casa, y la convertirán en una herramienta para forzar la entrada.

Las modernas puertas basculantes de garaje que llevan una cerradura en el centro de la manecilla, suelen ser bastante seguras. Cuesta mucho forzar una de estas puertas, y se hace mucho ruido si se intenta. Esta clase de puertas no precisan refuerzos adicionales, a no ser que existan motivos para tomar mayores precauciones. Uno de los motivos puede ser que el garaje forme parte integral de la casa, o esté anexo a ella, y la vivienda permanece largos periodos desocupada (durante las vacaciones o por tratarse de una segunda casa).

Cuando un garaje provisto de puerta basculante dispone de entrada complementaria, lateral o en la parte trasera, por una puerta de madera para personas, poco puede hacerse para mejorar su seguridad. Si hay una puerta adicional para personas, es probable que sea elegida por el ladrón para penetrar en el interior, forzándola, en lugar de intentar trabajar en la puerta delantera. Esta clase de puertas secundarias suelen estar escondidas a la vista de vecinos o viandantes, por lo que deben tener una cerradura embutida bien resistente, siendo aconsejable que, además, se instale un candado en la parte exterior.

La ventaja de esta clase de seguridad es que no puede forzarse sin hacer ruido, y cualquier elemento que para romperlo precise de sierras o taladros suele ser desechado por los ladrones, a no ser que la vivienda se halle muy alejada de las demás.

Las puertas de garaje de madera son mucho más fáciles de forzar que las metálicas. No es preciso hacer tanto ruido, y resulta muy fácil romper un par de bisagras y una cerradura sencilla. Si hay una puerta adicional para entrar en el garaje, la puerta principal se asegurará colocando un candado por su costado interior. El motivo de asegurar tanto la entrada del garaje, no sólo es el alto valor del vehículo guardado en él, sino que cuando el garaje forma parte de la vivienda o es anexo a la misma, basta que el ladrón entre en él para que pueda forzar la entrada a la casa sin que pueda ser visto por otras personas.

Los pequeños candados de grillete son muy fáciles de romper. Un candado de seguridad está construido con acero templado y resulta prácticamente imposible cortarlo con una sierra de mano; además está diseñado de manera que no pueden utilizarse palancas para forzarlo. Las placas y argollas utilizadas habitualmente con los candados no deben atornillarse a menos que el sistema haga desistir de cualquier intento de forzarlo. Siempre han de fijarse con tornillos, arandelas y tuercas de alta seguridad y, como es natural, las tuercas estarán en la parte interior. Cuando los tornillos tienen cabeza avellanada, la barra o placa de seguridad se colocará de modo que cubra dichas cabezas. La barra de seguridad debe ser tan segura, por lo menos, como el candado utilizado para cerrarla. En caso contrario, el conjunto con el candado en su lugar, podría ser arrancado. El uso de arandelas bajo las tuercas de los tornillos dificulta mucho más el arranque. No obstante, todavía podría ser más resistente, haciendo una placa de metal con agujeros para los tornillos colocados por el exterior, e interpuesta entre puerta y tuercas de fijación de los mismos.

Capítulo 2
Seguridad en las ventanas

No es nada sorprendente saber que las ventanas tienen para los ladrones mayor atractivo que las puertas. Tienen una estructura más débil que las puertas y, en conjunto, ofrecen una abertura grande en las construcciones de tipo medio. A no ser que sean muy seguras, pueden abrirse fácilmente con palancas; sus cristales pueden cortarse o romperse para tener acceso a los pasadores sin cerradura; a menudo se dejan sin el pasador puesto o incluso totalmente abiertas.

Aunque existen infinitos modelos de ventanas, básicamente hay cinco tipos:

1. tipo guillotina
2. ventanas con bisagras
3. basculantes sobre pivotes
4. correderas en sentido horizontal
5. impracticables.

Para los cuatro modelos primeros hay accesorios disponibles que permiten aumentar su seguridad. Muchos de ellos hacen necesario el empleo de una llave o herramienta especial para poder abrirlas, pero también existen tipos de mayor seguridad que disponen de cerradura de llave similar a las de las puertas.

Las ventanas con cristales emplomados y cualquier otro tipo de vidrios pequeños decorativos, hechos con trozos reducidos de vidrio montados en tiras de plomo, suelen ser del tipo con bisagra y ofrecen especiales problemas desde el punto de vista de la seguridad. Resulta fácil cortar las secciones de plomo para sacar uno de los pedazos de cristal, a fin de tener acceso a los pasadores del interior. Evidentemente, las ventanas con cristales de colores presentan idénticos problemas.

Todas las demás ventanas practicables para efectos de la ventilación, también resultan fáciles de forzar con sólo sacar el cristal, a no ser que lleven doble vidrio. (Los «verdaderos» vidrios dobles llevan el segundo panel unido al marco del primero, o vienen de fábrica formando un conjunto totalmente estanco.) Las ventanas con marco de aluminio suelen llevar vidrios dobles y ajustan perfectamente; las que son de hierro, con ventano practicable, con frecuencia ajustan demasiado apretadas cuando se utilizan los pasadores, lo cual puede facilitar el empleo de palancas.

Siempre que se trata de la seguridad en las ventanas, lo primero que debe vigilarse, como es natural, es que no se deja ninguna abierta, tanto cuando la casa está sin ocupar, como durante la noche. Cualquier ventana abierta llama la atención de un ladrón potencial. Es sorprendente ver el reducido espacio que necesita un ladrón para alcanzar el sistema de cierre de una ventana próxima, o para que un pequeño ayudante pueda meterse por dicho espacio e ir a abrir la puerta. De modo especial durante los meses de invierno en que el día es más corto, mientras la familia está reunida en una habitación, todas las entradas a la casa, sin omitir las ventanas, han de estar bien cerradas. Si se dejan semiabiertas para facilitar la ventilación, deberán asegurarse de modo que resulte imposible abrirlas más de lo estrictamente necesario.

Un modelo de pasador que se emplea con frecuencia en las ventanas de guillotina sirve para poco más que para retener la hoja en su guía y evitar que vibre con el viento, a no ser que se empleen cerraduras adicionales. Los marcos de madera de las ventanas, al igual que todos los elementos, ajustarán más o menos bien según las condiciones atmosféricas. Cuando la ventana se encuentra en un lugar soleado, el calor afecta a la madera y se vuelve más prieta. Con el efecto del viento, la madera se seca y la ventana queda más suelta, mientras que la humedad la hincha. Una ventana de guillotina que no ajuste bien, siempre permitirá meter una hoja resistente entre los elementos de ambos marcos y accionar el pasador que la cierra.

Habitualmente, los ventanos practicables que utilizan bisagras disponen de soportes que permiten mantenerlos abiertos en la posición deseada, así como una palanca para bloquear la ventana cuando está cerrada. Ambos elementos son fáciles de romper con una barra metálica ejerciendo presión desde el exterior. Si el soporte del ventano es un modelo taladrado o está hecho de hierro fundido, probablemente se romperá por efecto de la presión ejercida. La parte inferior del ventano se puede forzar hasta el punto de introducir una barra metálica y hacer saltar el cierre de la ventana.

Un modo sencillo de asegurar ventanas que casi no se utilizan, consiste en fijarlas con tornillos del tipo usado en carpintería.

Los intrusos y ladrones prefieren trabajar en silencio por lo que evitan romper cristales. En consecuencia, es frecuente que con sólo asegurar bien el cierre de ventanas y puertas se haga desistir a un ladrón. Muchos fabricantes suministran accesorios adecuados para

Este cierre especial para ventanas con bisagras efectúa un bloqueo automático, pero precisa de llave para abrirlo (gentileza de Copydex).

ventanas de madera y de metal. Pero ¿puede tener la seguridad de que sus ventanas no serán abiertas, a pesar de estar bien cerradas?

Ventanas con bisagras

Existen cierres delgados y bonitos hechos especialmente para montar en los marcos practicables de ventanas de madera y de metal. En el marco fijo se coloca una placa con cerradero, junto al punto de cierre de la ventana. Al cerrar, un pasador o pestillo achaflanado se introduce en el cerradero y mantiene la ventana en la posición de cierre. Para abrir hay que sacar el pestillo con una llave. Estos accesorios son lo bastante pequeños como para colocarlos en la parte superior e inferior del marco y proporcionar una seguridad adicional.

El montaje de estos elementos en las ventanas de madera se efectúa con tornillos de carpintero, mientras que los utilizados en marcos de metal se fijan con tornillos autorroscables que se insertan en agujeros pretaladrados. En los marcos de madera, los cierres resultan invisibles desde el exterior gracias al propio grosor del marco, pero en las ventanas metálicas es más difícil disimularlos ya que los marcos son mucho más delgados. Aun cuando los pasadores de cierre destinados a ventanas de metal pueden ser utilizados perfectamente en las de madera, es aconsejable adquirir el modelo específico para cada tipo de ventana.

También se puede instalar un tipo de pasador de cremallera, similar al ya descrito para las puertas. La única diferencia reside en la longitud del pasador, puesto que no es preciso que sea tan largo en las ventanas porque su grosor es inferior.

Los dos tipos de pasador antes descritos reforzarán la ventana de modo positivo, siendo capaces de frustrar los intentos de un ladrón para abrirla, ya sea rompiendo el cristal o forzándola con una palanca. Sin embargo, como tanto los cierres como sus llaves se encuentran sin dificultad en las ferreterías, cualquier ladrón podrá proveerse de las llaves necesarias para abrirlos. Así es posible evitar los ladrones poco preparados, pero no existirán obstáculos para los profesionales bien preparados para salvar estos «inconvenientes».

Este pasador de cremallera, de menor longitud que los utilizados en las puertas, está diseñado para su montaje en marcos de ventanas estrechos (gentileza de Chubb).

Resulta fácil sacar las manecillas de cierre de las ventanas de madera, poniendo en su lugar una cerradura con llave. Existen muchos modelos con pestillo que no se pueden abrir sin la llave adecuada, de modo similar a las que se utilizan en las puertas, para las que

Un sistema de cierre para ventana que se bloquea con llave, especial para marcos de madera (gentileza de Copydex).

es preciso disponer de una llave codificada.

Normalmente resulta mucho más difícil sustituir los pasadores de las ventanas de acero, colocando una cerradura en su lugar. Pueden dejarse los pasadores de cierre y añadir una manecilla que sirva para unir la ventana con su marco fijo. Indistintamente es posible adoptar un sistema de cierre que actúa sobre la lengüeta de la manecilla. Tiene forma de un elemento deslizante que se empuja hacia arriba para que entre en contacto con la lengüeta de la palanca, o un pasador basculante que se gira hacia arriba con el mismo objeto. Otro modelo se bloquea con ayuda de una llave y de este modo se impide el movimiento de la palanca de cierre.

Muchos «cierres» sólo consisten en pasadores roscados que se fijan en uno de los agujeros del soporte de ajuste de la ventana. Los soportes disponen de un sistema de seguro para evitar que puedan ser sacados del pivote, introduciendo, por ejemplo, un alambre entre los marcos. Sin embargo, esto no refuerza el soporte, el cual es susceptible de ser roto o doblado ejerciendo presión desde el exterior con una palanca. Cualquier dispositivo que se mantenga en posición sin utilizar tornillos u otros útiles, resulta muy poco seguro. Puede que evite la entrada de un ladrón que actúe impulsivamente, pero no ofrece casi protección ante uno profesional experimentado.

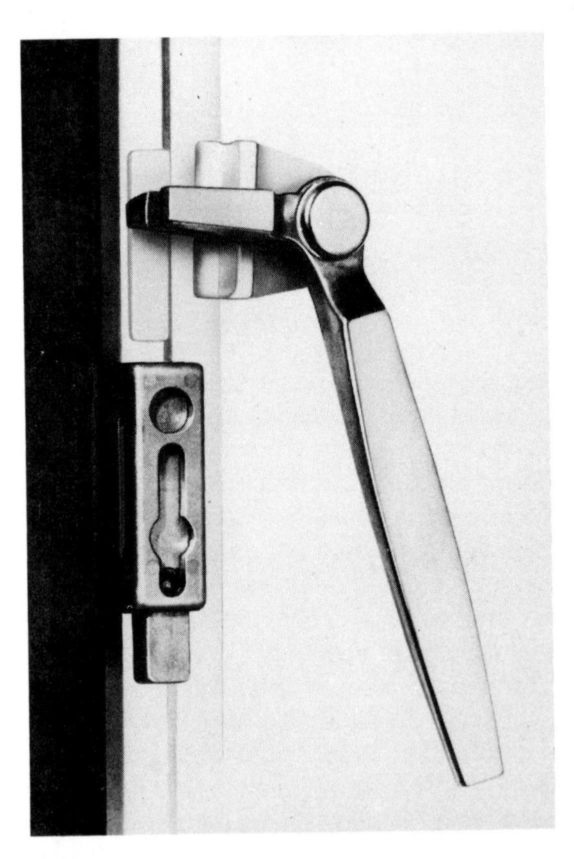

Cierre con pasador deslizante en posición de abierto destinado a ventanas metálicas que ya tienen cerradura (gentileza de Ingersoll).

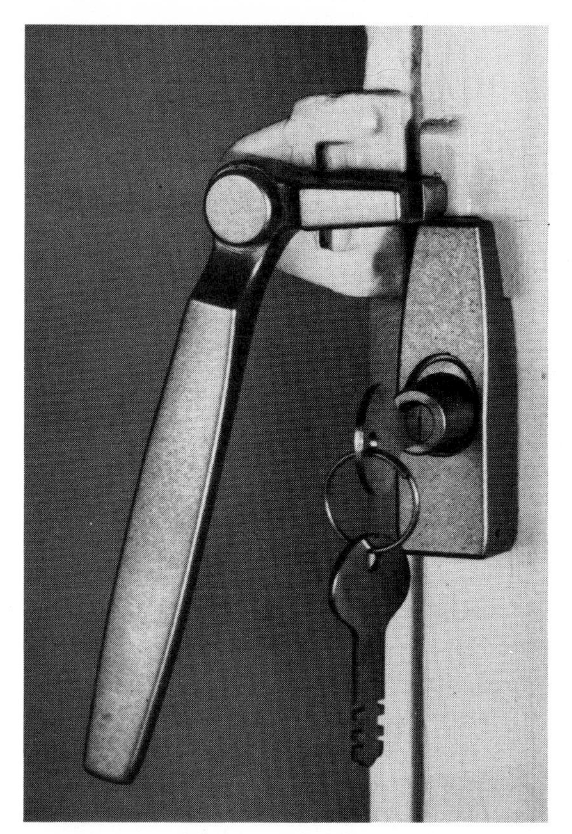

Cierre basculante en posición de bloqueo para ventanas metálicas que ya tienen cerradura (gentileza de Copydex).

Ventanas de guillotina

La mejor forma de asegurar una ventana de guillotina consiste en usar algún dispositivo que mantenga juntos los elementos centrales de las hojas. De los diversos modelos susceptibles de ser fijados con tornillos en las ventanas de guillotina, existen modelos que permiten una abertura mínima para ventilación.

Tienen forma de cilindro roscado por dentro y por fuera, o bien un cilindro liso por fuera y con rosca en su interior. Tanto en un caso como en otro, el cilindro se fija en el marco inferior, mientras que un perno de acero roscado atraviesa el otro marco y se atornilla al cilindro mediante una llave. Por estrechos que sean los marcos de la ventana, siempre es factible asegurar la ventana de guillotina con ayuda de estos accesorios. Las ventanas amplias, de más de medio metro (20 pulgadas) de ancho, serán más seguras si se instalan un par de estos accesorios. Se montarán uno a cada extremo del travesaño horizontal, muy cerca de los costados de la ventana.

Ventanas correderas

Actualmente las ventanas con marco de aluminio, provistas de doble cristal, son muy populares. Suelen suministrarse con una cerradura de pestillo que engancha automáti-

Pasador para ventana de guillotina con cilindro provisto de rosca interior y exterior (gentileza de Chubb).

Este cierre especial para ventanas metálicas del tipo corredero, puede variarse de posición para asegurar la ventilación (gentileza de Copydex).

camente y mantiene la ventana cerrada. Obviamente para penetrar a través de estas ventanas existen los dos sistemas ya descritos en las puertas correderas: forzar las guías o forzar el lado de la ventana. Para su protección hay que usar los mismos medios que en las puertas, o sea, colocar cierres en la guía. Los cierres descritos para las puertas también son aplicables a las ventanas correderas, pero en determinados casos las medidas tendrán que ser diferentes.

Las ventanas correderas con marcos de madera podrán asegurarse mediante los accesorios mencionados para las ventanas con bisagras o las de guillotina. Es cuestión de buscar el sistema de fijación más adecuado al marco donde deba ser instalado. Hay que tener en cuenta el accesorio en función del uso de la ventana, puesto que si el sistema de fijación no resulta práctico, lo más probable es que no se haga servir.

Elección de los cristales

El cristal común de ventanas está hecho fundiendo diversos productos entre los que figuran la arena, las sales y las piedras calizas. Se fabrica en placas planas de diversos gruesos y tamaños, ofreciéndose al mercado bajo diversos nombres, como «vidrio plano», «paneles de vidrio», «vidrio liso» y «vidrio grabado». La denominación técnica empleada para designar a todos estos vidrios es la de vidrio recocido, y todos tienen algo en común: son quebradizos. Como consecuencia, cuando un vidrio se rompe por causa de un golpe, se producen una serie de trozos con puntas y cantos tan agudos que pueden resultar tan peligrosos como un puñal. Todos los vidrios recocidos tienen las mismas características al romperse, sea cual sea su grosor. Naturalmente, cuanto más grueso es un vidrio, tanto más resistente resulta, siendo más difícil romperlo mediante un golpe.

En general se utilizan tres tipos principales de vidrio de seguridad: vidrio templado, vidrio laminado y vidrio armado. El plástico también se emplea a veces con objeto de aumentar la seguridad, sobre todo en forma de placas acrílicas o de policarbonato.

Ante todo, unos aspectos generales sobre la seguridad de los materiales acristalados. Evidentemente resulta muy poco eficaz instalar un vidrio que ofrezca alta seguridad cuando pueda ser sacado fácilmente de su marco, tanto si se trata de una ventana como de una puerta. Los modernos sistemas utilizados para colocar vidrios pueden consistir en compuestos vidriados o empaquetaduras, con o sin molduras. Dichas molduras se colocan por la parte interior o por la exterior. Para lograr una protección mayor, las molduras se colocan por dentro o, como en el caso de las puertas de patios, se introducen dentro del mismo marco de aluminio. Conviene que solicite consejo de un profesional sobre el sistema de fijación y la elección del vidrio o plástico más adecuado.

Cuando trabaje en las ventanas o puertas ya existentes, su elección quedará limitada; pero si quiere instalar nuevas puertas o ventanas, revise el sistema de colocación de los cristales, su grosor y el tipo de vidrio empleado, y considere si éste es el más adecuado.

Vidrios templados o endurecidos

Están fabricados a partir de un vidrio recocido normal, el cual se calienta y se enfría rápidamente, usando para ello hornos especiales. Este procedimiento confiere al vidrio una resistencia cinco veces superior a la que tenía antes, impidiendo que el ladrón pueda romperlo por los medios corrientes. Si llegara a romperlo con un golpe sumamente violento, todo el vidrio se reduciría a miles de pequeños fragmentos que no causarían heridas. La resistencia de seguridad es función de las herramientas que pueda usar el intruso. Resiste los golpes de una herramienta pesada, pero puede romperse si se ataca con una puntiaguda.

Vidrio armado

El cristal o vidrio armado se hace introduciendo malla de alambre dentro del panel de vidrio recocido durante el proceso de fabricación. La existencia del alambre no hace que el vidrio sea más resistente, pero evita que, en caso de rotura, los trozos resulten peligrosos, puesto que el alambre los mantiene unidos. Su principal utilidad es para casos de incendio. Puede romperse, pero si está bien instalado no caerá aunque sea muy dañado, por lo que impedirá que se produzcan corrientes de aire que avivarían y propagarían el fuego.

Vidrio laminado

El vidrio laminado se consigue interponiendo una lámina de plástico elástico entre dos piezas de vidrio recocido. El conjunto se mantiene firmemente unido mediante un proceso de calor y presión. Pueden fabricarse paneles con diferentes combinaciones de grosores de vidrio y diferentes calidades y número de láminas de plástico y vidrio. Pueden conseguirse paneles a prueba de bala.

Los vidrios laminados también están hechos a prueba de golpes, puesto que aunque se agrieten, el plástico impide practicar una abertura a través del panel. Asimismo, el plástico impide que los pedazos puedan desprenderse y herir a alguien. De todos los tipos de vidrio, el laminado es el más seguro. Dentro de la amplia gama existente en el mercado hay que escoger el modelo más adecuado al grado de seguridad requerido. Cualquier buen distribuidor de vidrio sabrá aconsejarle al respecto.

Paneles de plástico

Existen láminas de plástico de diferentes grosores, colores y grabados que pueden usarse en sustitución del vidrio, en muchos casos. Los plásticos acrílicos y los policarbonatos son relativamente caros y por ello se utilizan de manera preponderante para la seguridad de empresas comerciales e industriales, como en escaparates de joyerías y pantallas protectoras contra actos vandálicos. No obstante, nada impide que puedan utilizarse para conseguir una alta seguridad en determinadas zonas de la casa. Hay que tener en cuenta que, por lo general, estos materiales resultan más fáciles de rayar que el vidrio, por lo cual, al cabo de un tiempo de su uso, su aspecto es menos brillante. Las placas de plástico acrílico tienen una resistencia al impacto muy superior a la del vidrio templado y laminado. El policarbonato es el material transparente más resistente que se conoce y resulta prácticamente irrompible cuando es vitrificado.

Doble cristal

Finalmente, unas palabras sobre los vidrios de seguridad. Los cristales dobles herméticos pueden ofrecer una protección adicional sobre los vidrios normales sencillos, esto es debido sólo que tienen doble panel. Las ventanas secundarias con doble vidrio son seguras, sobre todo si las ventanas interiores pueden cerrarse y están provistas de vidrio de seguridad o panel plástico.

Capítulo 3
Alarmas y luces de seguridad

Pregúntese a sí mismo qué medidas de seguridad quiere tomar. ¿Pretende atrapar al ladrón? ¿O, prefiere disponer de un sistema que detecte su presencia para poder tomar las medidas que crea convenientes? ¿Está más interesado en impedir su entrada? ¿O desea que suene una alarma cerca del lugar donde se encuentra el ladrón para que se asuste y emprenda la huida?

Cualquier policía experimentado podrá contarle que el criminal de antaño estaba menos preparado para actuar violentamente que los jóvenes delincuentes de nuestros días. Con frecuencia actúan bajo los efectos de drogas o alcohol y, si es descubierto, el delincuente moderno está dispuesto a reaccionar violentamente. No es aconsejable blandir un palo de golf o de criquet ante un intruso y pedir que se entregue.

Así pues, ¿qué hay que hacer para su seguridad? En primer lugar, debe procurar que el ladrón no pueda entrar en la casa, tanto si está ocupada como si no hay nadie dentro. En segundo lugar, si el intruso ha conseguido franquear las cerraduras y penetrar en el interior, debe procurar que se vaya lo antes posible y, a poder ser, con las manos vacías. Aunque detener a un criminal sea un deber cívico y laudable, es un trabajo que corresponde a la policía. Una cosa es colaborar y ayudar a la policía, para lo cual todos debemos estar preparados, y algo muy distinto detener al criminal estando solo. Ningún policía le aconsejaría esto.

Suponiendo que sus cerraduras, cerrojos y pestillos hayan sido rotos y el ladrón se encuentre dentro de la vivienda, la acción mejor que debe tomar es procurar que salga. Si ha examinado los puntos débiles de su propiedad, desde el punto de vista de forzar la entrada, y ha asegurado físicamente puertas y ventanas, la medida que procede es instalar aparatos de alarma. En las páginas siguientes se pasa revista a los diferentes tipos de aparatos que pueden utilizarse y los lugares más adecuados para su instalación.

Garajes y ampliaciones anexas

Tal como se ha dicho antes, basta que un ladrón pueda forzar la entrada de un garaje integrado o anexo a la vivienda para que lo utilice de pantalla para trabajar con toda comodidad y sin ser visto a fin de penetrar en el resto de la casa. No es probable que un intruso intente agujerear una pared de ladrillo si la casa está ocupada, pero si no hay nadie en su interior, por estar de vacaciones, y el garaje también está vacío, resulta muy fácil sacar los ladrillos, pues el ruido generado difícilmente se oirá desde el exterior.

Para que un ladrón emprenda un trabajo de esta envergadura es preciso que tenga el convencimiento de que lo que encontrará al otro lado de la pared vale la pena el esfuerzo. Es posible que esta clase de robos no nos suceda a ninguno de nosotros, pero hay gente que posee artículos de mucho valor dentro de sus casas.

No resulta tan fantástico encontrarse con trozos de cubiertas de vinilo arrancadas para poder entrar en ampliaciones o porches bien asegurados por todos sus costados, excepto por arriba. Este trabajo se puede llevar a cabo en un tiempo relativamente breve e incluso durante el día, con ayuda de un camión provisto de escalera y con el nombre de una empresa ficticia de construcción en sus puertas. Puede pedirse a los vecinos que vigilen la casa mientras están fuera, pero no todos cumplen el encargo a satisfacción. Basta sacar del camión algún elemento de trabajo para que no infunda sospechas a los viandantes. Hay otros muchos sistemas para entrar en las casas que no requieren comentario, como falsos carteros, lectores de contadores o ayudantes sociales, de los cuales hay que sospechar si no se les conoce.

Siempre que un ladrón ha penetrado en una casa de uno u otro modo, está en condiciones de llevar a cabo sus propósitos. El sistema de alarma, que se pone en marcha cuando alguien ha penetrado en la vivienda, actúa como una valiosa segunda línea de defensa. El principio a adoptar ante un intruso ha de ser «evitar que entre o asustarlo para que salga».

Sistema básico de alarma

Los proyectos de diseños de alarma no tienen por qué ser excesivamente elaborados. El cabeza de familia y el resto de ocupantes de la casa han de convivir con el sistema, por tanto ha de planearse con sumo cuidado. El sistema debe ser eficaz, pero sin tantos mecanismos que resulte imposible desplazarse por la casa sin que la alarma se dispare.

Hay que partir de un sistema sencillo básico e ir desarrollándolo de acuerdo a las necesidades. Un sistema básico consta de un contacto de alarma con un timbre, accionado mediante una batería seca, y un interruptor para desconectar la alarma cuando suene; asimismo se precisa un poco de hilo para el timbre. El circuito representado en la figura al pie de página es el más sencillo de todos los de circuito abierto. El contacto (o interruptor) debe fijarse a una ventana o puerta la cual, cuando sea abierta, hará cerrar el circuito y sonar la alarma. El interruptor de desconectar sirve para dejar el circuito fuera de servicio cuando la vivienda está ocupada durante la jornada, o después de que la alarma haya sonado por haber penetrado un intruso. Este interruptor debe ubicarse dentro de la zona protegida, pero en un lugar accesible desde la puerta o ventana provista de los contactos de alarma.

La mayoría de sistemas de alarma antirrobo, y sin duda todos los instalados por profesionales, descartan los circuitos abiertos, y esto es algo que hay que considerar cuando un aficionado al *bricolage* pretende instalar uno de tales sistemas. Si se emplea un circuito abierto y se rompe uno de los cables, la alarma no se pondrá en marcha puesto que continuará manteniéndose en su estado normal. Las empresas instaladoras de alarmas antirrobo emplean circuitos cerrados para que, caso de producirse la rotura o corte de uno de los cables, la alarma funcione. Si se produjera un fallo en el sistema de alarma, puede localizarse y arreglarse la avería. El inconveniente reside en que, caso de romperse accidentalmente un cable, la alarma se

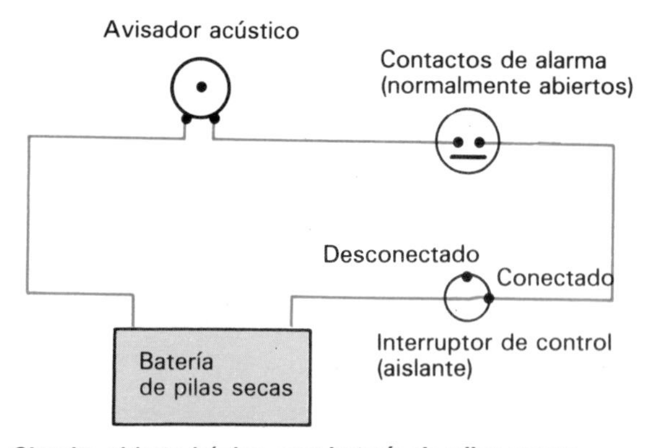

Circuito abierto básico, con batería de pilas secas.

pone en funcionamiento y es preciso desconectar el sistema para que el ruido pare. En estas circunstancias resulta muy difícil detectar la causa, dado que la corriente no circula por los cables y, como es natural, mientras está desconectado, no existe ninguna clase de protección.

Avisadores acústicos

El avisador acústico o resonador puede consistir en un timbre, una sirena, una bocina o cualquier dispositivo electrónico que emita un ruido fuerte. Por tanto, siempre que hablemos de avisadores acústicos hay que pensar que se trata de alguno de los aparatos mencionados; tan sólo en casos concretos se especificará la clase de instrumento a utilizar.

La elección de un circuito abierto o cerrado solamente influye en el cableado de los contactos de alarma. Los avisadores acústicos siempre vienen preparados con circuito abierto, por tanto cuando se conectan de manera distinta emitirán un sonido continuo; en tal caso es preciso interponer un relé o un interruptor electrónico. En el esquema de cableado del circuito cerrado básico, el relé se conecta entre el suministro de corriente y la alarma acústica. Puede que algunos lectores consideren que los relés ya son anticuados, pero resultan sumamente fiables y facilitan la explicación de los circuitos. Un circuito de estado sólido permite usar un tipo de interruptor transistorizado en lugar del relé.

Si bien el empleo de un circuito cerrado controla eficazmente los contactos y el cableado de un modo continuo cuando pasa la corriente, no verifica ni el relé ni los otros posibles dispositivos conmutadores para asegurar que el avisador funcione. Para comprobarlo de manera sencilla basta con abrir momentáneamente una de las puertas o ventanas protegidas, mientras el avisador está conectado. Si todo está en perfectas condiciones, el avisador sonará y dejará de sonar al volver a cerrar la puerta o ventana.

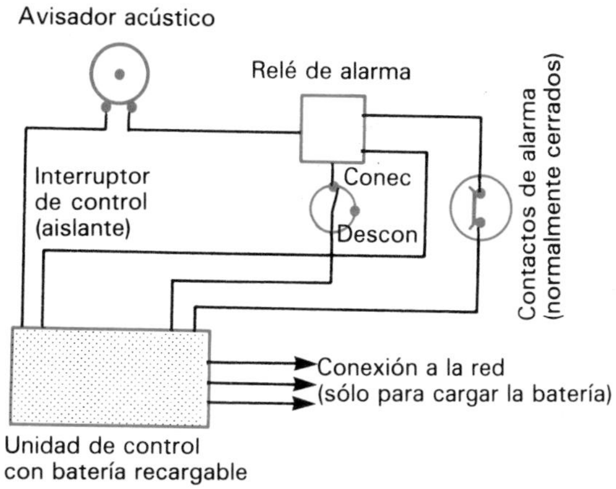

Circuito cerrado básico; el relé y el interruptor aislante pueden estar integrados en la unidad de control. Cuando sólo se utiliza un avisador acústico, puede emplearse un interruptor transistorizado en lugar del relé.

Los sistemas de alarma que están provistos de una unidad de control permiten efectuar pruebas de audición desde la misma unidad, mediante una lámpara y un interruptor de llave. Sin embargo, recuerde que cuando se emplea un interruptor especialmente dispuesto para efectuar las comprobaciones, no se prueban los contactos de alarma individuales, sino tan sólo el cableado de la instalación, el suministro de corriente y los aparatos acústicos.

Ampliación del sistema

El sistema puede ampliarse un poco para proteger mayor número de puntos, por ejemplo, las puertas delanteras y posteriores y un par de ventanas. Entonces el esquema será parecido al indicado en la página 34.

El método de cableado en paralelo con circuito abierto, utilizando dos cables para los avisadores acústicos y dos para los contactos, se puede adoptar si la distribución exige ampliar los circuitos para colocar los aparatos acústicos en un lugar en que se oiga más su sonido. Sólo se trata de extender el cable flexible bifilar del tipo usado para alumbrado, haciéndolo pasar por los lugares más convenientes, procurando ocultarlo todo lo posible, y cortándolo en los puntos donde deban instalarse los avisadores acústicos. Forme un pequeño bucle con el cable para disponer de longitud suficiente para realizar las conexiones. Los cuatro extremos del cable cortado han de conectarse al avisador, dos a cada terminal. Si se conectan bien, se evitará que puedan producirse falsas alarmas por defectos del cableado; la forma más segura de conectar los cables es soldar los extremos de cada par de hilos y separando éstos formar un anillo que se fija debajo de la cabeza de los tornillos de los terminales. Cuando se retuercen los hilos sin soldarlos, el bucle debe formarse en el mismo sentido que las agujas del reloj para que, al apretar los tornillos de fijación, tiendan a cerrar aún más el bucle. Si se doblan en sentido contrario a las agujas del reloj, el bucle tiende a aflojarse al ser presionado por la cabeza del tornillo. Suele resultar difícil y siempre desalentador descubrir defectos en el sistema de alarma producidos por conexiones mal hechas. Los sistemas de alarma antirrobo son alimentados por baterías de baja tensión, por lo que es muy importante que las conexiones estén muy bien hechas, puesto que cualquier deficiencia en ellas puede representar una resistencia que llegue a inutilizar la alarma.

Aun cuando en las instrucciones de montaje se puede emplear la expresión «conexión en paralelo», la interconexión de los puntos de alarma siempre se hace en los terminales de los aparatos formando un circuito anular o en bucle, no conectándose jamás en cualquier otra parte del cable como «ramal» de éste.

Una vez montados y cableados los avisadores y los contactos de alarma entre sí, dispondrá de cuatro cables en el punto de alimentación o de control: dos de los cables forman los bucles para los contactos y los otros dos para los avisadores acústicos. Todo sistema básico dispondrá de un interruptor de control,

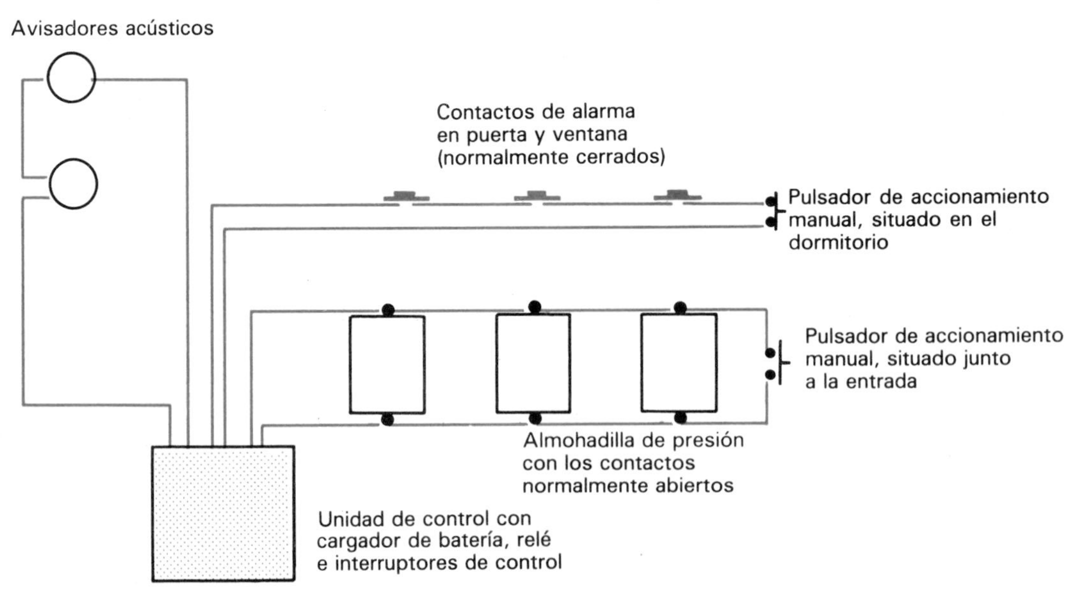

Circuito ampliado con contactos de alarma de circuito cerrado y almohadillas de presión con contactos de circuito abierto.

para conectarlo y desconectarlo. Todo lo que hará el interruptor es aislar el suministro de corriente para que no funcione. Obviamente, es importante que dicho interruptor se halle dentro de la zona protegida, a fin de que el ladrón no pueda encontrarlo. Como precaución adicional puede usarse un interruptor de llave.

Suministros de energía

Un sistema de alarma sencillo, de circuito abierto, para uso doméstico, puede ser alimentado por baterías o pilas secas, o bien por un tipo de transformador de baja tensión del modelo habitualmente usado en timbres y campanillas de puerta. Mientras se halla sin funcionar, un circuito abierto no consume corriente por lo que, caso de usar pilas secas, lo único que se debe vigilar es que sean capaces de accionar la alarma sonora. Uno de los problemas de las pilas secas es que resulta imposible determinar su estado real. Si hacemos funcionar el sistema para probarlas puede que estemos utilizando la última energía que les queda. La lectura del voltímetro no sirve de guía, puesto que la intensidad de la corriente es tan importante como su tensión o voltaje. El voltímetro necesita muy poca corriente para funcionar, apenas medible, por lo cual el que la batería dé una lectura correcta de tensión no significa que sea capaz de hacer funcionar a un avisador determinado. Por ejemplo, un timbre de 6 voltios que tenga una campanilla de 100 mm (4 pulgadas) de diámetro puede precisar de 60 a 80 miliamperios de corriente a 6 voltios para que funcione. Un timbre de 150 mm (6 pulgadas) con una bobina del mismo voltaje, puede requerir de 100 a 120 miliamperios. Una batería en mal estado, ya sea por agotamiento o debido a la falta de uso, puede dar una lectura correcta de tensión, pero no entrega la intensidad de corriente requerida. Por este motivo, si se utilizan pilas secas deberán cambiarse periódicamente (por lo menos una vez al año) aunque parezcan estar en buen estado y su tensión sea correcta.

Las baterías se estropean tanto si se utilizan como si no. Una de las peculiaridades de las pilas secas es que, a veces, pequeñas descargas las mantienen en mejores condiciones y no es extraño que así se conserven mejor que las que se guardan en una estantería sin usar. Se conseguirá descargarlas adecuadamente si comprobamos regularmente (no con demasiada frecuencia) el sistema de alarma.

Una batería no consta de un solo elemento, sino que está formada por varios de ellos conectados entre sí. Un solo elemento o pila, independientemente de su tamaño, suministra alrededor de 1 1/2 voltios. Por ejemplo, en los aparatos de radio se puede usar una sola pila de 1 1/2 voltios o formar un paquete con ellas y suministrar 9 voltios. En el primer caso se trata de un solo elemento, mientras que en el segundo es una batería de seis elementos (o pilas) conectados en serie. En la práctica, cuando las baterías son nuevas suministran algo más de corriente: una batería con una tensión nominal de 12 voltios está formada por ocho elementos metidos en una caja que suministran una tensión de 13,8 voltios aproximadamente cuando se acaba de estrenar, pero rápidamente descenderá a 12 voltios tan pronto como se utilice.

La intensidad, o capacidad de corriente, es lo que aumenta con el tamaño de los elementos (y también se puede incrementar conectándolos en paralelo). Las pequeñas baterías no resistirán mucho tiempo si se utilizan constantemente, puesto que pronto se agotará la energía que poseen. Cuando las baterías han de alimentar más de un instrumento acústico, y quizás relés de control, asegúrese que tienen el tamaño suficiente para realizar el trabajo requerido, a fin de

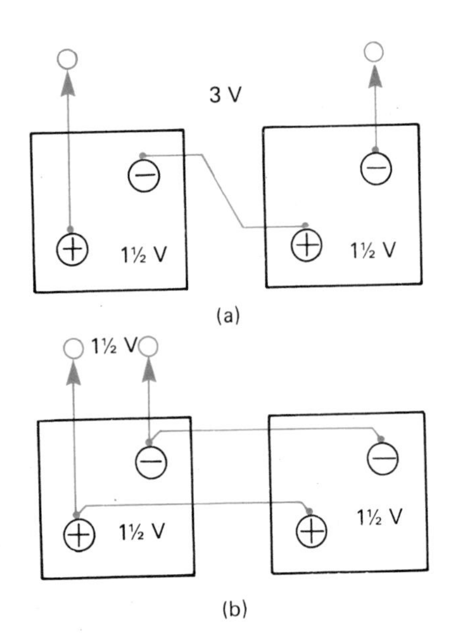

Conexiones de la batería: (a) la conexión de los elementos en serie aumenta la tensión, mientras mantiene la capacidad de corriente de uno solo de ellos; (b) al conectar los elementos en paralelo, se aumenta la capacidad de la batería, manteniendo la tensión de cada elemento. Las baterías de plomo y baño ácido tienen una tensión nominal de 2 voltios en cada elemento, mientras que las de hierro-níquel y níquel-cadmio tienen una tensión nominal de 1,2 voltios.

no tener que cambiarlas con demasiada frecuencia.

Baterías de acumuladores o pilas secundarias

Aunque inicialmente resultan más caras, las baterías de acumuladores duran muchísimo más puesto que pueden recargarse. Podemos formar una batería de acumuladores, al igual que de pilas secas, conectando entre sí el número de elementos adecuados. También se puede adquirir ya hecha, existiendo modelos completamente cerrados en una caja, siendo los más populares. Todas las baterías de acumuladores requieren un dispositivo de carga que las mantenga en las debidas condiciones; si faltara dicho dispositivo, la energía que pueden suministrar estas baterías se agotaría como en las demás.

Cuando los circuitos de alarma de sistema cerrado están funcionando, consumen constantemente corriente; por tanto, en tales casos es imprescindible utilizar acumuladores para su alimentación. El dispositivo cargador ha de ser adecuado al tipo de baterías adoptado. Los suministradores de baterías pueden facilitarnos éstas y el cargador correspondiente, a la vez que nos informarán del régimen de carga. También es factible usar una batería de coche o motocicleta con el tipo de cargadores que podemos adquirir en las tiendas de recambios de automóviles, pero resultará más costoso que adquirir una batería y cargador especial para alarmas o una unidad en una tienda especializada.

Los transformadores para timbres de puerta pueden usarse eficazmente en los circuitos abiertos de manera muy simple, empleando un instrumento de alarma. En los lugares que se emplee uno de estos transformadores para alimentación, pueden usarse timbres o campanillas en el sistema de alarma si se incorpora un interruptor para desconectarlo durante el día. Al igual que las pilas secas, los transformadores de timbre no son adecuados en los lugares donde se necesita constantemente la corriente, puesto que la bobina del transformador estaría sometida a tensión de forma permanente y podría sobrecalentarse o incluso quemarse. Un sistema de circuito cerrado debe tener el relé siempre con corriente, y los transformadores utilizados en los timbres domésticos no son bastante robustos para este trabajo. También son muy sensibles a los cambios de tensión del suministro general de corriente de la red y, en consecuencia, pueden motivar falsas alarmas.

Existen transformadores más potentes que son adecuados para suministrar energía constante, en cuyo caso han de tener de 80 a 100 miliamperios. La mayor parte de las unidades que llevan acumuladores y cargador disponen de relé o control transistorizado de corriente, una luz piloto para indicar la posición de la unidad, un bloque de conexiones para la entrada de corriente general y salida de corriente de baja tensión, y un interruptor de llave para la prueba y paro de la unidad. Cuando desee realizar usted mismo el montaje, puede obtener los diferentes elementos en las tiendas de suministros eléctricos, pero en lugar de rectificadores de circuitos impresos es preferible que adquiera una pequeña unidad hermética para efectuar este trabajo.

El mantenimiento de la batería de acumuladores consiste en asegurar que las conexiones están bien hechas y sin señales de corrosión, y que los diferentes elementos tienen el nivel de agua destilada adecuado, lo mismo que las baterías de automóvil.

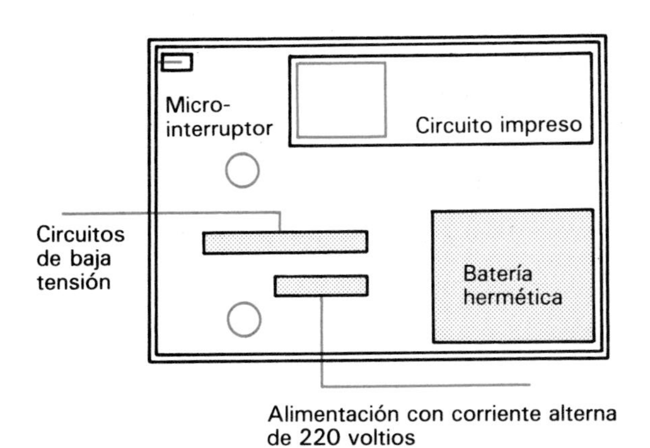

Unidad de energía para un sistema de alarma pequeño, mostrando los diferentes componentes que se observan al sacar la tapa.

Suministro desde la red de distribución de energía eléctrica

No es recomendable alimentar el sistema de alarma directamente de la red, sin interponer un transformador, para no exceder los valores nominales de los componentes del sistema. Podemos comprar timbres, sirenas y bocinas para funcionar con corriente alterna de 220 voltios, pero los contactos de la alarma sólo admiten corriente de baja tensión. La mayoría de los contactos podrían admitir hasta 2 amperios pero los cables deben ser de tipo estándar para 250 voltios, revestidos y aislados de PVC, de cobre con aislamiento mineral o con aislamiento de PVC en el circuito. Este sistema de cableado es correcto pero caro y difícil de disimular en la mayoría de casos.

Cualquier sistema que funcione conectado a la red requiere fusibles independientes y esto aumenta su coste. Otro grave inconveniente de la alimentación directa desde la red es la dificultad existente para llevar a cabo el mantenimiento y reparaciones, que sólo podrán ser hechos por un electricista cualificado, puesto que los riesgos serán tan elevados como en cualquier otro circuito conectado a la red.

Al contrario de lo que ocurre con la alimentación desde la red, un sistema de alarma de circuito cerrado que esté alimentado por baterías, no es necesario que tenga cables mecánicamente fuertes. Aun cuando los cables han de estar enfundados para que no sufran daños al atravesar paredes y ser lo bastante fuertes para que no se rompan accidentalmente, sí deben ser fáciles de romper por un intruso que desee inutilizar la alarma. (Tal como se ha dicho antes, si el circuito utilizado es abierto, al romper un cable *no* suena la alarma, a no ser que por casualidad se corten dos cables a la vez y se produzca un cortocircuito en el contacto de alarma a través de la herramienta utilizada para su corte.)

Cableado del sistema

En la mayoría de los sistemas de alarma las conexiones están hechas con cable flexible bifilar, salvo en determinadas partes (como el cable que une los componentes del circuito primario y la unidad de control) que están unidas con cable flexible de cuatro conductores de varias hebras. Los instaladores aficionados al *bricolage* posiblemente encuentren más fácil comprar cable flexible bifilar que el cable de cuatro hilos usado por los profesionales. No obstante, el cable ligero como el empleado en las instalaciones de timbres tan sólo debe usarse para el conexionado de la salida de la unidad de control, de los contactos de la alarma y de los avisadores acústicos. En los sistemas que utilizan baterías de acumuladores, la conexión entre la unidad de control y la red debe hacerse mediante cable estándar de 250 voltios, de tres conductores (positivo, neutro y tierra) para conectar todos los aparatos que tienen cajas o carcasas metálicas.

En los esquemas, los recorridos de los cables se dibujan en línea recta y formando ángulos de noventa grados, pero esto sólo se hace para facilitar la comprensión. En la práctica el cableado jamás resulta tan sencillo. Los cables deben ocultarse siempre que sea factible; si se pueden tender por debajo del piso o por encima del cielo raso resulta fácil esconderlos. Pero los cables no son tan fáciles de disimular en la proximidades de los contactos de alarma, hasta que desaparecen bajo el suelo o sobre el techo. Caso que se corte el enlucido de la pared para el paso de los cables de uno a otro punto, es preciso protegerlos con un tubo o conducto de sección rectangular, del tipo que utilizan los electricistas. Con una cuidadosa planificación del recorrido del cable se puede ahorrar el corte de buena parte del enlucido y su posterior arreglo, pero hay que prever posibles correcciones y cambios. Hay que dejar una pequeña longitud de cable en los extremos para poder introducirlo dentro del tubo o canal. De este modo dispondremos de material para el caso de tener que reparar los contactos u otros aparatos.

Los tubos y canales protectores han de colocarse de manera que los hilos que contienen puedan meterse y sacarse sin dificultad en toda su longitud. Donde sea conveniente, hay que prever el uso de cajas de conexiones para poder mover los cables aunque formen ángulos rectos. El empleo de cajas de conexión o empalme no significa que pueden unirse los cables en regletas de terminales con tornillos, sino que han de soldarse entre sí. Las cajas de conexión no sólo proporcionan espacio para unir los cables, sino que también permiten hacer la instalación en cortas distancias con cable bajo tubo o en conductos entre cada caja y la siguiente, de modo que el cable no esté sometido a esfuerzos que pudieran causar su rotura.

Naturalmente, sólo hay que usar cajas de conexión si pueden ocultarse perfectamente. Los sistemas de alarma se ocultan, no para que su presencia pase desapercibida, sino para evitar que el ladrón pueda localizarlos y anularlos.

Quizá resultaría eficaz colocar en el exterior de la vivienda protegida un aviso para los ladrones que dijera: «Esta propiedad dispone de un sistema de alarma». Esto es lo que, hasta cierto punto, hace un timbre externo del sistema de alarma. Los sistemas profesionales protegen el timbre con una tapa en la que consta el número de la compañía instaladora y su número de teléfono. Este método sirve de advertencia y, al mismo tiempo, indica a la policía quiénes son los instaladores de la alarma. Otra de las funciones importantes de la tapa se indica en la página 42.

Componentes del sistema de alarma

Todas las puertas y ventanas equipadas con contactos de alarma deben ajustar perfectamente cuando están cerradas, o disponer de pestillos manuales que impidan su vibración por efecto de la presión del viento o del tráfico rodado. Las puertas y ventanas que no ajusten bien es posible que originen falsas alarmas. También conviene que adquiera accesorios de alta calidad para la instalación de la alarma, en especial los contactos ya que el porcentaje de fallos es bastante elevado y se producen muchas falsas alarmas, llegando incluso al noventa por ciento de todas las alarmas.

Interruptores magnéticos

Los interruptores magnéticos son muy adecuados y pulcros para puertas y ventanas con puertaventanas. Consisten en un imán montado en la parte móvil de la puerta o ventana, de manera que al cerrarla dicho imán entra en contacto o se aproxima mucho a la pieza que contiene el interruptor, situada en la parte fija del marco. Al cerrar la puerta o ventana, el imán mueve los elementos del interruptor, abriendo o cerrando el circuito según el sistema elegido. Cuando se abre la puerta o la ventana, los contactos del interruptor se abren, si se utiliza un circuito cerrado (o se cierran si el circuito utilizado es abierto), accionando la alarma. Hay interruptores magnéticos para empotrar y para montar en la superficie.

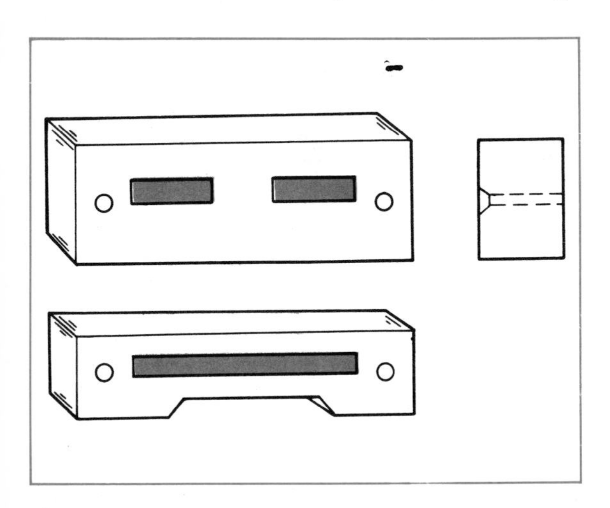

Interruptor magnético para su montaje sin empotrar.

Interruptores de presión

Hay muchos tipos y formas de interruptores de presión, pero normalmente se emplean para colocarlos en el rebaje del lado de las bisagras de las puertas y ventanas. Al cerrar la puerta o ventana, los contactos del interruptor se mantienen en la posición adecuada mediante la presión ejercida sobre el botón que vence la resistencia del resorte. Algunos interruptores de presión son mayores que los magnéticos. No resultan fáciles de ocultar, pero son muy robustos y adecuados para usarlos en puertas que se abren y cierran con frecuencia.

Los interruptores de presión no son adecuados para las ventanas con marco metálico, e incluso los magnéticos presentan problemas para su fijación y en su funcionamiento. En tales casos la solución puede encontrarse en pequeños interruptores que, en algunos casos, van provistos de palancas de accionamiento. Estos elementos se conocen como microinterruptores.

Microinterruptores

Tal como su nombre indica, los microinterruptores son muy pequeños. Aunque fueron inventados por un fabricante para utilizarlos en sus productos, su denominación se ha generalizado y se aplica indiscriminadamente a todos los modelos de interruptores en miniatura. Se suministran tanto para circuito abierto como cerrado, con una amplia variedad de palancas o botones de accionamiento para poderlos montar muy cerca del objeto a proteger, aunque no necesariamente sobre él. Son lo suficientemente compactos para poder usarlos en la protección de recintos muy

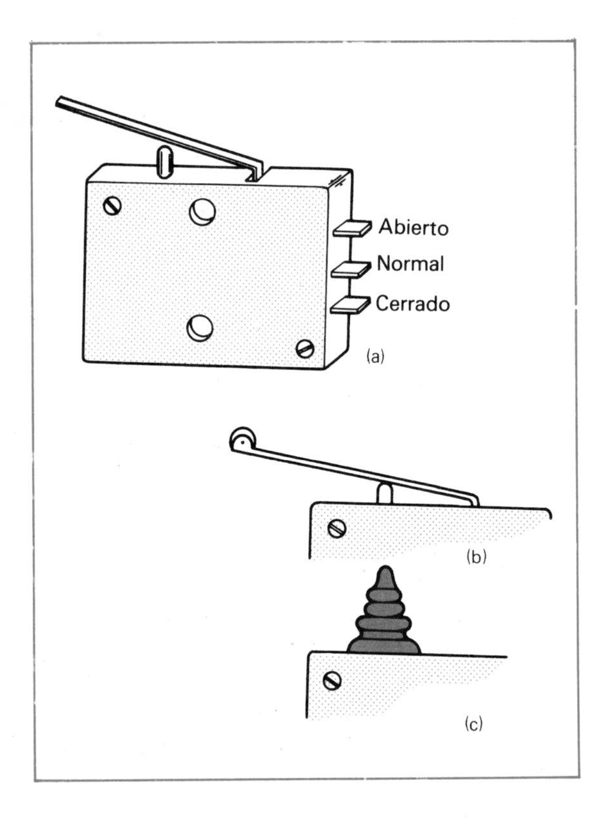

Tipos de microinterruptores: (a) accionado a palanca, (b) accionado con rodillo, (c) accionado por émbolo.

pequeños, tales como las cajas en que se hallan alojadas las unidades de control de la alarma antirrobo, o en las puertas de automóviles y embarcaciones.

Almohadillas de presión

El montaje de contactos de alarma en puertas y ventanas puede que no resulte eficaz para evitar la entrada de un intruso. Si, a pesar de la alarma, el ladrón logra penetrar a través de puertas o ventanas, es preciso detectar sus movimientos cuando ya se halla dentro de la vivienda. Las almohadillas, o esteras de presión, que es como se conocen las almohadillas grandes, constituyen alarmas que son accionadas «al pasar». Se colocan debajo de alfombras o felpudos y tienen tamaños que van desde un peldaño de escalera hasta un tercio de metro cuadrado (tres o cuatro pies cuadrados).

Generalmente, la almohadilla contiene una serie de contactos en circuito abierto, unidos entre sí y conectados por cable al sistema de alarma o a la unidad de control del sistema, formando un circuito independiente. Cuando alguien pisa la escondida almohadilla cierra el circuito y la alarma se pone en funcionamiento.

El grosor de las almohadillas de alarma es de unos 6 mm (1/4 pulgada), adelgazándose en los bordes para que no se noten si se colocan debajo de las alfombras. Todos los contactos están metidos dentro de una protección de PVC u otro plástico para que no sean afectados por el polvo, la suciedad y la humedad. Los cables de conexión se unen al exterior de la almohadilla y se protegen debidamente.

Los fabricantes no mencionan el peso necesario para accionar los contactos, por lo que no hay duda que existen variaciones entre los diferentes modelos existentes en el mercado. Como es comprensible se tolera hasta un cierto peso, pues en caso contrario la alarma sonaría continuamente ante las pequeñas presiones de los animales domésticos. La mayoría de perros y gatos no serán capaces de accionar la alarma, pero si el animal es grande, como por ejemplo, un gran danés, su peso será suficiente para cerrar los contactos.

Aun cuando las almohadillas de presión pueden incorporarse en el mismo circuito que otras alarmas de circuito abierto, resultan más eficaces como protección complementaria si disponen de un circuito propio y se conectan en una unidad de control. De este modo, si uno de los circuitos de alarma ha sido inutilizado o franqueado (lo cual significa que el ladrón ha podido entrar en la casa), la almohadilla de presión seguirá dispuesta para accionar la alarma.

Contactos de lengüetas

Un tipo de contactos de alarma que resulta muy fácil de esconder es el contacto magnético de lengüetas. Consiste en dos palanquitas metálicas muy delgadas, metidas en un tubo, y un imán. En el centro del tubo las lengüetas se solapan mientras que por sus extremos sale un hilo que atraviesa el tubo y permite conectarlas. El imán se utiliza para que ambas lengüetas entren en contacto o para que se mantengan separadas, según se trate de un modelo de circuito cerrado o abierto.

Un modelo de contacto de lengüetas va en un tubo de cristal y se utiliza en posición horizontal. Para su instalación se abre una cavidad en la parte superior o en el canto del marco de la puerta, de suficiente profundidad para admitir el tubo y los cables de conexión (bastan unos 10 mm, 3/8 pulgada), de manera que el tubo quede al mismo nivel del marco. Debe haber espacio suficiente para poder colocar una delgada chapa de madera encima y esconder el tubo; la chapa se pinta o barniza igual que el resto de la madera, a fin de que no pueda descubrirse la existencia del tubo.

Los modelos más modernos de contactos de lengüetas se presentan en tubos de plástico con una forma parecida a setas aplanadas. Para su instalación basta con practicar un agujero para el tubo, ampliándolo para alojar la cabeza. También hay modelos de forma cuadrada.

El imán que mueve las lengüetas se coloca en la puerta, en un lugar que coincida con la posición del tubo. La mayoría de imanes utilizados pueden alojarse dentro de un agujero practicado en la madera. Cuando se montan en la parte alta de la puerta, no es necesario hacer nada más para disimularlo, pero si está en el canto lateral, para su ocultación deberemos emplear un sistema parecido al ya indicado para el tubo. Con la puerta cerrada no es posible descubrir el imán o el tubo de lengüetas. Al abrir la puerta (para averiguar si hay el dispositivo de alarma) se pone en marcha la alarma. El único motivo de esconderlo es impedir que alguien lo descubra mientras la puerta está abierta para su empleo normal.

Los cables de conexión del tubo deben ocultarse en el marco de la puerta, practicando, si fuera necesario, un canal en la misma madera.

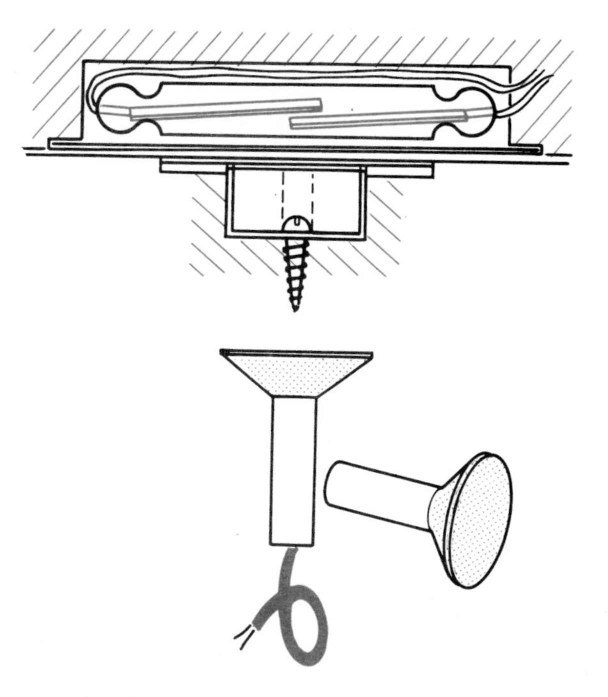

Arriba: Sección de un contacto de lengüetas en un tubo de vidrio, con el imán de accionamiento. Abajo: Pequeño conjunto de contacto de lengüetas contenido en un tubo de plástico (hay tipos de cabeza cuadrada).

Pulsadores de alarma

Otro sistema eficaz consiste en instalar un pulsador de alarma junto al cabezal de la cama. Esto se conoce como pulsador de pánico, y permite a la persona que está en la cama hacer sonar la alarma y encender las luces de seguridad integradas en el sistema. Cuando todas las medidas de seguridad, como cerraduras y alarmas, han sido soslayadas por el intruso, y se le oye moverse por la casa, al pulsar la alarma del cabezal se ponen en marcha los avisadores acústicos y luces, sin necesidad de salir del dormitorio. Este método es preferible al de enfrentarse con el intruso; es más probable que se asuste por el sonido de la alarma y se vaya, que por la presencia de una persona.

También resulta útil instalar un pulsador de alarma junto a la puerta principal. De este modo se puede accionar la alarma en el caso de que resulte peligroso alguien que haya llamado a la puerta.

Además de los elementos de contacto antes mencionados, existen multitud de modelos de alarma que se emplean para proteger locales comerciales y de negocios. Algunos aparatos como los que consisten en microinterruptores accionados por rueda, varillas de desbloqueo, dispositivos acústicos, interruptores de inercia y otros por el estilo que son usados por instaladores profesionales, no resultan adecuados para su empleo en la protección de hogares.

Alarmas acústicas

Se llama avisador acústico o «resonador» a la parte sonora de la alarma, cuando no se especifica el instrumento concreto que se utiliza. Con esta palabra se designa a toda la gama de timbres, sirenas, bocinas y dispositivos electrónicos; o sea, cualquier elemento empleado para hacer ruido.

Timbres

Para su empleo en el exterior se utilizan timbres protegidos contra las inclemencias del tiempo y montados sobre placas. Los de mayor tamaño se emplean para alarmas de tipo industrial, pero los más adecuados para usos domésticos son los que poseen campanas de unos 150 mm (6 pulgadas) de diámetro.

El mecanismo del timbre (con inclusión de una bobina) y los terminales de conexión se hallan dentro de la campana. Su montaje es muy sencillo gracias a la placa de fijación de que están provistos. Si una vez montados se nota que el sonido emitido es demasiado apagado, se puede variar girando el tornillo central que sostiene la campanilla, hasta conseguir el tono adecuado. Luego hay que apretar a fondo el tornillo.

Las tapas de timbre se colocan en los aparatos que se montan en el exterior, con objeto de disimular los cables y terminales de conexión a la vez que se dificulta cualquier manipulación del aparato. Cuando los cables pueden hacerse pasar a través de la pared, no se verá ninguno de ellos.

Debajo de la tapa del timbre se pueden instalar microinterruptores para que la alarma suene caso de que alguien intente manipularla, precaución que acostumbran a tomar todos los instaladores profesionales.

Sirenas y resonadores electrónicos

En el comercio existe una amplia gama de sirenas miniatura y avisadores electrónicos que consumen muy poca corriente continua de baja tensión y que son adecuados para las alarmas. La mayoría de electricistas podrán pedir el modelo requerido, si no lo tienen en existencia. Emiten un sonido de alta frecuencia, en lugar de un silbido penetrante, o un tono que varía de intensidad. El sonido tiene un alcance de unos 250 metros (en condiciones atmosféricas normales). Dentro y alrededor de la casa, el sonido es realmente alarmante.

Alarmas interiores

Si un sistema de alarma funciona tal como se ha expuesto, al penetrar un intruso por una puerta o ventana, se pondrá en funcionamiento la alarma exterior, la cual emitirá un sonido tan insistente que hará desistir al ladrón de seguir su actividad. No obstante, cuando a pesar de las precauciones tomadas, el ladrón logra entrar sin que suene la alarma exterior, conviene que exista algún tipo de avisador acústico dentro de la vivienda. Los modelos antes indicados emiten un sonido que, en el ámbito de una vivienda de tipo medio, resulta demasiado intenso y más penetrante de lo extrictamente necesario.

Para que la alarma se oiga bien dentro de la casa, basta con un timbre de 50 a 100 mm (2 a 4 pulgadas) de diámetro. También hay una gama de otros instrumentos adecuados para el caso, como zumbadores vibratorios eléctricos y avisadores electrónicos en miniatura. En realidad, la clase de timbres que se utilizan en las puertas producen un sonido lo bastante intenso para poder servir dentro de la vivienda, en conjunción con otros timbres, incluso si la casa es grande.

Por ejemplo, en casas de tres plantas (el tipo de casa con jardín, garaje y sótano, zona de estar abajo y dormitorios en la parte superior), donde no sería suficiente uno de ellos para despertar a alguien, colocar un timbre en cada planta resulta económico y eficaz para despertar a los que tienen el sueño profundo, a la vez que para asustar al intruso.

Alarmas visuales

Al igual que las alarmas acústicas, si una luz se enciende de repente puede ser suficiente para desconcertar a un intruso que penetre en la casa durante la noche, o incluso durante el día. Las alarmas visuales pueden añadirse a las sonoras si incluye en el circuito de la alarma sonora un relé que conecte una lámpara, o varias, a la red de 220 voltios de corriente alterna.

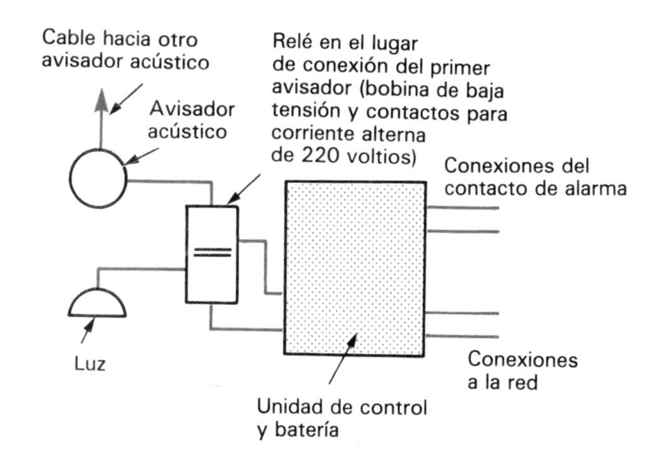

Incorporación de luces de seguridad en un circuito de alarma antirrobo: el relé principal se conecta al relé de salida de alarma o al interruptor de estado sólido que se encuentra en la unidad de control.

Cuando se enciende una sencilla lámpara situada en algún punto estratégico de modo que pueda ser vista por el intruso, reforzará el efecto de la alarma incluso durante el día, pero de modo especial en la noche. Un foco que ilumine el recibidor hacia la escalera o la puerta de entrada resulta muy adecuado, e incluso puede usarse una luz de color para que el efecto sea más dramático.

Para disuadir al intruso también son efectivas las luces en el exterior, debidamente protegidas contra las inclemencias del tiempo, puesto que suelen evitar que llegue a penetrar en la vivienda. Mi propia experiencia hace que les recomiende un par de lámparas colocadas en las esquinas de la casa de modo que iluminen tres de sus fachadas, para que el intruso las vea tan pronto haya conseguido forzar una ventana.

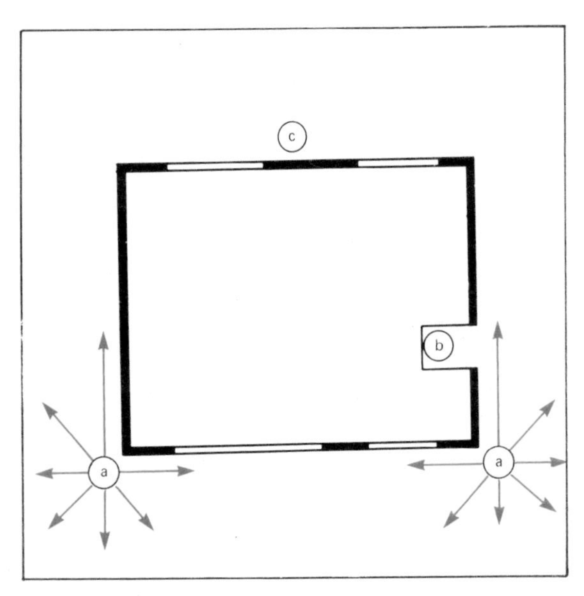

Luces de seguridad exteriores: (a) soportes para lámparas en las esquinas de la fachada de la casa; (b) luz del porche; (c) luces en la parte posterior para completar el esquema. Todas las luces son accionadas desde el sistema de alarma, a través de un relé; instalando interruptores en un circuito independiente, las luces de la fachada y parte posterior de la casa se pueden aprovechar para alumbrar con independencia de la alarma.

Control del sistema de alarma

Un sistema sencillo de circuito abierto, que sólo utilice uno o dos contactos de alarma y un timbre, no precisa más que un interruptor para controlarlo (el cual debe ser del tipo de llave, a efectos de seguridad), con objeto de parar la alarma cuando sea necesario y un pulsador para verificar el circuito.

Si el circuito es del tipo cerrado son necesarios más elementos de control, entre ellos un relé o un interruptor electrónico para alimentar a los avisadores acústicos de alarma. ¿Por qué recomendamos un relé en esta época de la electrónica? Ninguna otra forma de interruptor se ha mostrado tan eficaz como el que lleva bobinas de baja tensión. Los timbres y relés de bobina instalados a comienzos de siglo aún funcionan a la perfección siempre y cuando no hayan sufrido daños físicos o se hayan oxidado por causa de negligencia o malas condiciones de servicio.

Los relés son sumamente adecuados para las bobinas de los timbres, que reciben formas de ondas picudas de corriente. Aun cuando los timbres pueden accionarse y, a veces lo son, mediante interruptores transistorizados, el tipo de corriente que necesita un timbre puede ser muy destructiva para un circuito transistorizado cuando se prolonga el período de funcionamiento. Los transistores no pueden conducir la intensa corriente que el timbre necesita, la cual es muy superior a la requerida por los avisadores electrónicos. Para estos hay interruptores transistorizados que sustituyen a los relés, permitiendo que la corriente circule por los cables en un sentido y no en el sentido opuesto. Aunque existe la posibilidad de usar circuitos de estado sólido con un timbre para proteger los hogares, cuando se instala más de un timbre es conveniente emplear un relé.

Parece que no existe nada mejor que un sencillo relé para los sistemas pequeños de alarma, y conviene no olvidar que el mejor sistema es siempre el de diseño más simple, pues es el que funciona de manera más fiable y está más exento de problemas y falsas alarmas.

En el campo de la alta seguridad, cuando hay que combatir a ladrones muy avezados, posiblemente los especialistas electrónicos más expertos disponen de técnicas y diseños de alarmas muy avanzados, jugando un importante papel los modernos elementos electrónicos. Pero, cualquier intento de usar tales técnicas en la protección doméstica equivale a inmiscuirse en una esfera muy distinta a la que se hallan aquellos aficionados al *bricolage* que pretenden instalar su propio sistema de seguridad.

Sistemas de alarma en «kit»

La publicación de estadísticas policiales, la experiencia de los que han sufrido robos y los anuncios de sistemas de alarma al alcance de los aficionados al *bricolage,* han aumentado notablemente la demanda de dispositivos de protección. El lanzamiento al mercado de «kits» por parte de conocidos fabricantes, en los que se incluyen los diferentes elementos necesarios para su instalación e instrucciones para el usuario, es una clara demostración de la importancia que está adquiriendo este mercado durante los últimos años. Los «kits» presentan la ventaja de llevar todos los componentes precisos para construir un sencillo pero adecuado sistema de protección para pequeñas propiedades. En el «kit» se incluye un librito de explicaciones o esquema de instalación, bastando el uso de alicates y destornillador para llevarla a cabo.

Un «kit» bastante usual consiste en un timbre exterior con tapa protectora, una unidad de control con batería recargable y rectificador de corriente, cinco o seis contactos de alarma (por lo general del tipo interruptor magnético o de lengüetas), dos almohadillas de presión, un interruptor para conectar y desconectar el sistema y un rollo de cable para efectuar las conexiones. En los equipos

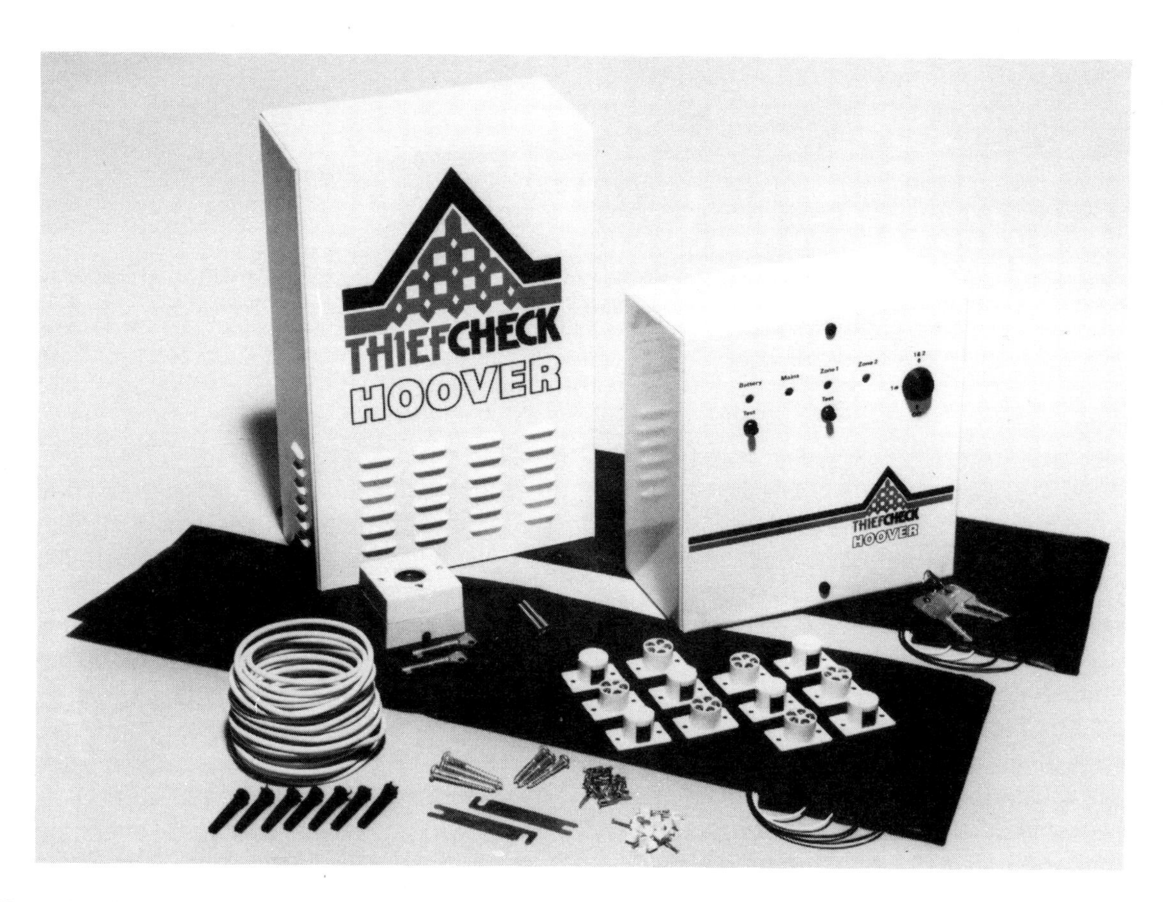

Un equipo de alarma alimentado por batería, en forma de «kit» para el uso de los aficionados al bricolage; incluye una unidad de control, sensores magnéticos, almohadillas de presión, sirena para el exterior y botón de alarma. Se puede ampliar con sensores adicionales para adaptarlo a viviendas de mayor tamaño (gentileza de Hoover).

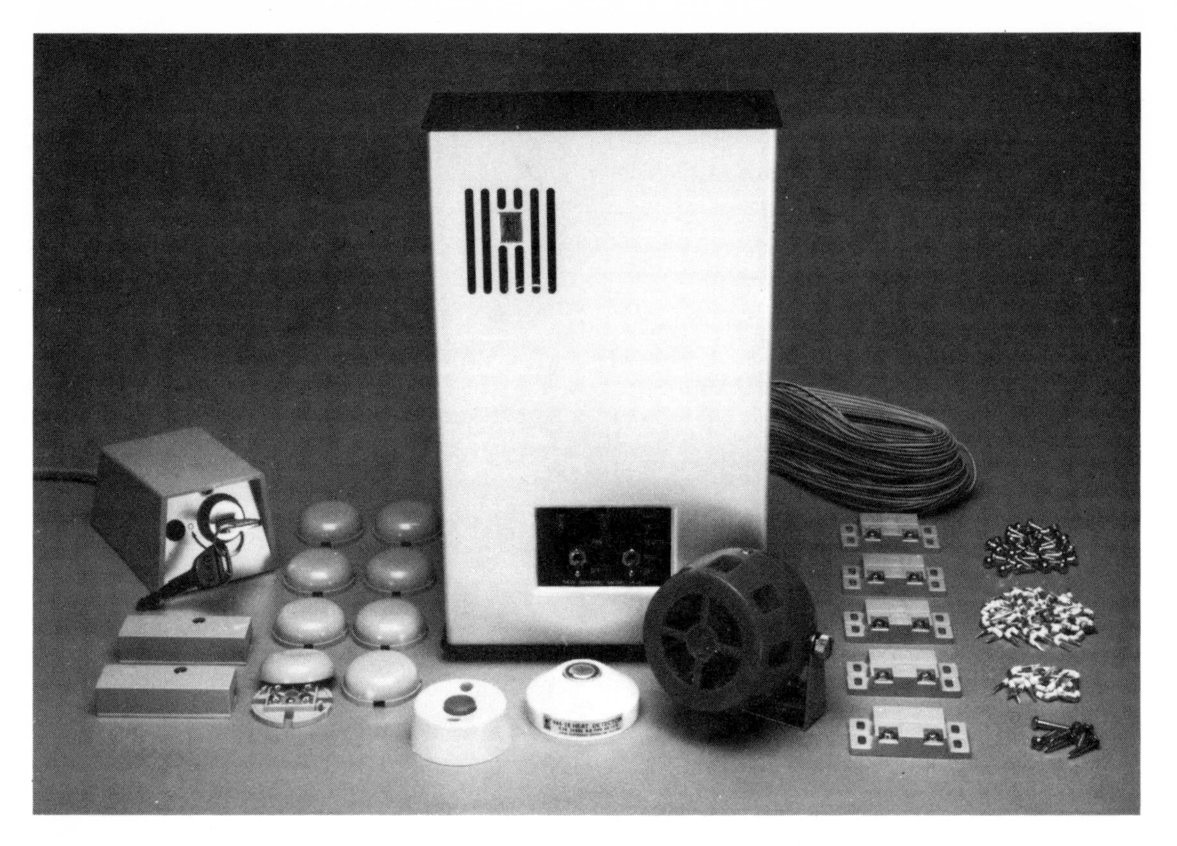

Modelo combinado de alarma antirrobo y de incendio, presentado en forma de «kit»; incluye la unidad de control, sirena exterior, interruptores magnéticos, interruptores por golpe, detectores de calor, botón de alarma e interruptor de llave. Pueden añadirse interruptores magnéticos y detectores de calor, así como esteras de presión y detectores de humo (gentileza de Eagle International).

buenos, el interruptor para conexión y desconexión es de llave y va montado en una caja o forma parte de la unidad de control. Independientemente se puede adquirir mayor cantidad de contactos de alarma para incluirlos en el sistema si se considera necesario, y también se puede añadir otro relé para un segundo timbre o luz de alarma, puesto que no ocasionará problemas para la batería.

Las llaves de seguridad para el interruptor del sistema de alarma son para cerradura de cilindro, con cualquiera de los dentados característicos de este tipo de llaves; cuando no se usan se sacan de la cerradura. El ladrón requeriría el conocimiento previo o mucha suerte para disponer de la llave correcta y poder desconectar el sistema, a pesar de que los «kits» de alarma son de venta libre.

Naturalmente, tanto la unidad de control como el interruptor del sistema de alarma pueden esconderse, bien dentro de un armario o en cualquier otra zona protegida. Para alcanzar la unidad de control y batería o el interruptor, el intruso primero ha de ser capaz de invalidar la protección. Una vez conseguido esto, debería desconectar el sistema. La unidad de control debe protegerse con un microinterruptor al objeto de que sonara la alarma al producirse cualquier interferencia. Cuando el equipo comprado no lleva microinterruptor en la tapa de la unidad de control, siempre podemos instalar uno y conectarlo al circuito de alarma.

Los «kits» están diseñados pensando en la protección de viviendas, pero también sirven para pequeñas tiendas, oficinas y lugares por el estilo. Sin embargo, cuando tenga que instalar un sistema de alarma en una tienda a efectos del seguro, es necesario que el equipo sea aprobado por la compañía aseguradora, tanto con respecto al grado de protección que ofrece como al mantenimiento que requiere. Normalmente, los requisitos exigidos por las compañías de seguros sólo son cumplidos por las empresas especializadas en seguridad. Es difícil y poco probable que las compañías aseguradoras acepten las instalaciones de *bricolage*.

Capítulo 4 Detectores electrónicos

Detectores ultrasónicos de movimientos

Básicamente, un sistema de detección por ultrasonidos está formado por un pequeño altavoz, un micrófono y un circuito oscilador. Cuando está conectado, el oscilador produce en el altavoz una emisión continua de ondas sonoras, cuya frecuencia es demasiado alta para que sea audible por el oído humano. Las experiencias con los aparatos de ultrasonidos de esta clase ponen de manifiesto que los sonidos no son oídos, o por lo menos no molestan a los gatos y perros.

El ultrasonido es captado por el micrófono especial. Un circuito de control analiza la señal ultrasónica reflejada que le es realimentada por el micrófono y la compara con la emitida normalmente y si existe alguna diferencia se dispara la alarma.

La zona que cubre el aparato de alarma alcanza aproximadamente unos 6 metros (20 pies), si bien puede ser menor cuando en el espacio hay tapices u otros tipos de superficies absorbentes.

Después de conectar el sistema, hay que esperar unos quince segundos para que se establezca la forma normal del ultrasonido reflejado de la zona protegida. Si se altera la zona a proteger como, por ejemplo, cambiando de posición un mueble o incluyendo uno nuevo, la forma de onda ultrasónica reflejada variará. Esto se debe a que el detector necesita un corto intervalo de tiempo para establecer la forma de la onda reflejada cada vez que se conecta.

Debido al tiempo de respuesta del detector, la alarma tarda unos 30 segundos en funcionar, a partir del instante en que se conecta. Normalmente lleva una lámpara pilo-

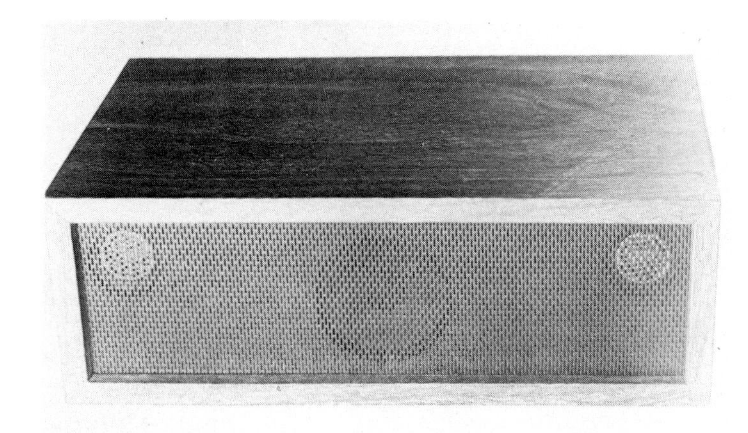

***Izquierda:** Unidad de alarma ultrasónica muy compacta con sirena incorporada. Puede ser alimentada desde la red o con batería anexa; en el primer caso, si el suministro de la red falla, se produce la conexión automática de la batería. Es posible conectar diversos sensores, como lengüetas magnéticas o detectores de calor. **Derecha:** Avisador acústico separado (o cualquier otro tipo de alarma) que puede ser conectado a la unidad, en cuyo caso se anula la sirena incorporada (gentileza de Photain Controls).*

to para indicar que el detector ya ha establecido la forma de onda normal. A partir de entonces, si algo se mueve en la zona protegida, cambia la forma de onda y esto dispara la alarma (puede haber un relé o un interruptor transistorizado) y se pone a sonar.

Los aparatos de alarma ultrasónica suministrados para la protección del hogar tienen todos sus componentes montados en una caja estilizada, y para su instalación basta enchufar la clavija del cable en el enchufe de la red de la distribución. La mayoría de unidades llevan una alarma sonora de alto tono y mucha intensidad, de unos 100 decibelios, capaz de asustar al ladrón y despertar a los ocupantes del otro lado de la casa.

El «Songuard DBP» es una unidad de alarma ultrasónica compacta y fácil de trasladar de uno a otro lado. Contiene una sirena de 100 dB y una batería con una vida de 3.500 horas (gentileza de Eurolec Security Services).

Por lo general, las unidades llevan terminales para su conexión a otros sistemas de alarma ya instalados. No existe ninguna incompatibilidad entre un sistema de baja tensión y otro sistema de ultrasonidos alimentado por la red; en la unidad ultrasónica, la conexión se hace a través de un par de contactos de relé o interruptor transistorizado, y la tensión entre dichos contactos procede del sistema de baja tensión.

Los equipos de ultrasonidos pueden suministrarse en dos partes: el sistema sonoro y el sistema de control. No es preciso que ambas partes estén juntas. De hecho, aunque hay una distancia crítica, funcionan incluso cuando se encuentren separadas entre sí unos 23 metros (75 pies). Esto permite colocar la unidad de control en casa de un vecino si hemos de dejar la vivienda o el piso vacío durante una temporada. La señal de alarma es emitida por la unidad de control, de modo que cualquier movimiento detectado en la vivienda vacía hará sonar la señal en casa del vecino. Es necesario que exista conexión por cable entre ambas partes del sistema, pero la energía de todo el conjunto es suministrada a través de la unidad de control.

Sistema PZS de ultrasonidos

El sistema conocido como «Songuard» es una variante de la detección por ultrasonidos que es alimentada a baja tensión en su totalidad, por baterías incorporadas que almacenan energía suficiente para más de 3.500 horas de funcionamiento. Este sistema está formado por una serie de unidades, algunas de las cuales constituyen todo un sistema de detección y alarma, existiendo varios módulos y accesorios adicionales para ampliar la instalación.

El «Songuard» es un sistema de invención británica basado en el método patentado PZS (pulsed zone surveillance = vigilancia zonal por impulsos), parecido al sistema de sonar utilizado en la Royal Navy para localizar submarinos en inmersión. Se transmiten una serie de impulsos ultrasónicos al objeto de detectar los posibles cambios de la forma de onda sonora en una habitación, lo cual indica la variación de lugar de objetos grandes o el movimiento producido por algún intruso. Es posible ajustar tanto el alcance como la sensibilidad a fin de poder detectar el movimiento de un objeto grande o una persona sin que por otra parte sea afectado por el movimiento de las cortinas debido a corrientes de aire, por ejemplo.

La unidad más sencilla de la gama (tipo DBP) no requiere ninguna clase de instalación y tiene el aspecto de un altavoz de alta fidelidad. Tratándose de un aparato completamente integrado, puede ser colocado en cualquier lugar de la zona a proteger.

Al dispararse la alarma se produce un sonido penetrante emitido por la sirena que lleva la misma unidad, la cual sigue funcionando durante un minuto y medio, después de lo cual se desconecta automáticamente. El mismo aparato queda dispuesto para volver a funcionar si detecta nuevos movimientos.

Para protegerse contra intrusos puede usarse el aparato modular «Songuard 2200», cuyo elevado grado de seguridad es proporcionado por una serie de módulos integrados que comprenden:

1) Detector PZS.
2) Visualización operacional del sistema.
3) Memoria del sistema.
4) Alarma acústica.
5) Fuente de alimentación incorporada.

Puede instalarse un interruptor de llave y un módulo con pulsador de emergencia en un lugar próximo a la entrada del propietario, para proceder a la conexión y desconexión del sistema, así como facilitar el accionamiento de la alarma con el botón de emergencia, tanto si el sistema está conectado como si no lo está. El sistema 2200 también permite la conexión de un timbre exterior; el timbre cuenta con batería propia y tiene el aspecto de cualquier alarma contra el robo.

Avisador de averías

Las averías en estos equipos suelen ser muy raras, pero si ocurrieran las pone de manifiesto el visualizador de estado del sistema. Los fabricantes tienen un teléfono para informa-

El «Songuard 2200» controlado por microcomputador, lleva una unidad de detector PZS que incorpora un visualizador de estado y memoria, interruptor de llave y pulsador de alarma, así como una sirena de 100 dB y una batería de 3.500 horas de vida (gentileza de Eurolec Security Services).

ción y asistencia técnica, y a través de él facilitan la necesaria información y asistencia técnica para corregir el defecto, salvo que se trate de un fallo importante de equipo. Esta clase de fallos son excepcionales en cualquier tipo de aparato ultrasónico.

Detectores de movimientos por microondas

Los detectores de microondas se comportan de modo similar al de los ultrasonidos, con la diferencia de que utilizan ondas de radio para detectar el movimiento en lugar de ultrasonidos.

Básicamente, consisten en un oscilador que emite ondas de radio de alta frecuencia. Dichas ondas son introducidas en el espacio a proteger en forma de haz más o menos ancho según el tipo de ajuste hecho en el transmisor. Las ondas se reflejan en las distintas superficies y luego son captadas por un receptor integrado en el aparato. A partir de este punto existe casi una total similitud entre un detector de microondas y uno de ultrasonidos. Ambos establecen una forma de onda normal y cualquier variación de esta forma ocasionada por algún movimiento en la zona protegida, provoca el disparo de la alarma.

Sin embargo, no todo el haz de ondas emitidas se refleja. Al contrario de lo que sucede con los ultrasonidos, que no penetran más allá de los límites físicos del espacio donde se proyectan, las ondas de radio atraviesan materiales de estructura ligera e incluso, hasta cierto límite, las paredes delgadas.

El hecho de poder atravesar sólidos confiere algunas ventajas a las ondas de radio, cuando se trata de proteger tiendas o almacenes. Una persona que se mueve detrás de montones de género también puede ser detectada. (Los ultrasonidos se reflejarían en la primera superficie que encontraran y no descubrirían al intruso.) Esta penetración de las ondas de radio puede presentar el inconveniente de que la exploración del espacio exterior, horizontal o verticalmente, dé lugar a una detección indeseada de movimientos fuera de la zona protegida.

Los detectores de microondas tienen mucho mayor alcance que los de ultrasonidos. Su campo de acción puede alcanzar desde unos 4,5 metros (15 pies) hasta un máximo de algo más de 40 metros (130 pies) e incluso más si las condiciones son favorables. Están provistos de ajustes para limitar su acción en el ámbito a proteger. Al reducir su alcance también se limitan la altura y la anchura de dispersión del haz. Es preciso evitar juiciosamente falsas alarmas como consecuencia de un escudriñamiento excesivo y, al mismo tiempo, que queden zonas sin proteger en los rincones. Para decidir el nivel correcto es necesario efectuar varias pruebas. No deben producirse exploraciones de lo que ocurre en lugares fuera de la zona protegida, por lo que en pisos y viviendas semiindependientes con terrazas se deben aplicar estos aparatos de microondas con sumo cuidado.

Al igual que ocurre con los detectores ultrasónicos, basta conectar el aparato a la red; sin embargo, cuando se persiguen altos grados de seguridad, conviene usar baterías independientes a fin de que el sistema siga funcionando aunque falle la corriente de la red. Esto es muy importante y hay que tenerlo en cuenta pues un ladrón puede ser capaz de interrumpir el suministro de la red en un edificio público, como despachos e incluso apartamentos.

Haces luminosos

La proyección de haces luminosos para detectar movimientos no suele ser el sistema

Una alarma pasiva de infrarrojos, alimentada por batería, capaz de detectar el calor del cuerpo de un intruso. El chasis interno de acero resiste los posibles ataques, y cuando se ha puesto en funcionamiento su sirena de 97 dB hay que utilizar una llave para desconectarla (gentileza de Hoover).

elegido cuando se desean proteger propiedades residenciales, pero no existe ningún motivo que impida usarlo si uno está interesado en aparatos de este tipo. La protección que ofrecen es tan eficaz como la de los dos sistemas que acabamos de describir, pero resulta más molesto de instalar y, sin duda, este es un importante factor a considerar cuando se selecciona un sistema.

El sistema de haces luminosos consiste en una cámara con objetivo que emite un haz de luz hacia una célula fotoeléctrica. Existen multitud de ejemplos técnicos que pueden ser adoptados con diferentes propósitos: detección de aperturas y cierres de puertas, control de movimientos en una cinta transportadora, conteo de paquetes y control de tráfico; todo esto se consigue con la luz y un aparato de control provisto de célula fotoeléctrica. Para alarmas antirrobo, los haces luminosos visibles no son adecuados. Para que el sistema de alarma permanezca en secreto, los aparatos se equipan con lentes infrarrojas y así no se ve la luz.

Colocando los aparatos a un nivel bajo sobre el suelo resulta muy difícil cuando no imposible deslizarse debajo de los rayos. Dado que podría pasarse por encima, se suelen usar dos rayos, con lo cual no es posible pasar ni por debajo ni saltarlos, o bien se emplea un rayo único que se desvía en zigzag mediante una serie de espejos, de manera que cubran toda la entrada.

La técnica de los espejos es factible pero no resulta fácil alinearlos, siendo necesario ir sacando las lentes infrarrojas para poder observar los haces proyectados. Es sumamente importante que los componentes estén sólidamente fijados en sus puntos y que no estén sujetos a vibraciones que pudieran perjudicar su alineación. Recuerde también que el empleo de espejos reduce el alcance efectivo del haz, y cuantos más espejos se utilicen mayor es la reducción.

En un aparato de corto alcance la longitud del haz medido entre proyector y célula fotoeléctrica puede ser 6 metros (20 pies) de longitud, pero es bastante frecuente encontrar longitudes de 15 a 30 metros (50 a 100 pies), mientras que en los haces de alta seguridad destinados a proteger instalaciones comerciales llegan a 150 metros (500 pies) e incluso más.

Cuando el ladrón sospecha que existe un rayo protector, lo primero que intenta es encontrar el receptor que contiene la célula fotoeléctrica, que es la parte del aparato que dispara la alarma, y anularlo colocando una linterna de mano ante dicha célula. Para evitar que esto pueda ocurrir, los rayos de alta seguridad están provistos de un sistema mo-

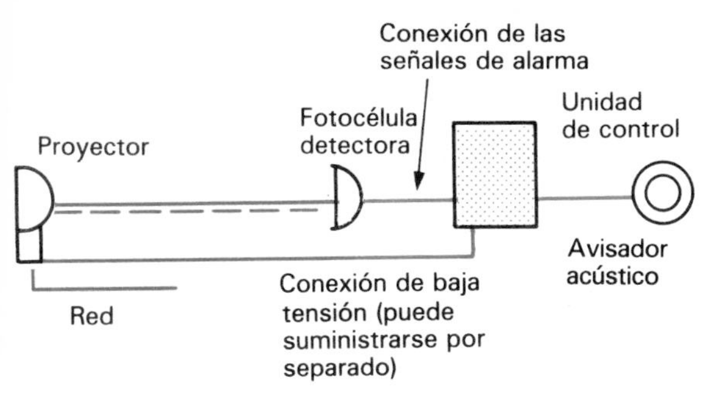

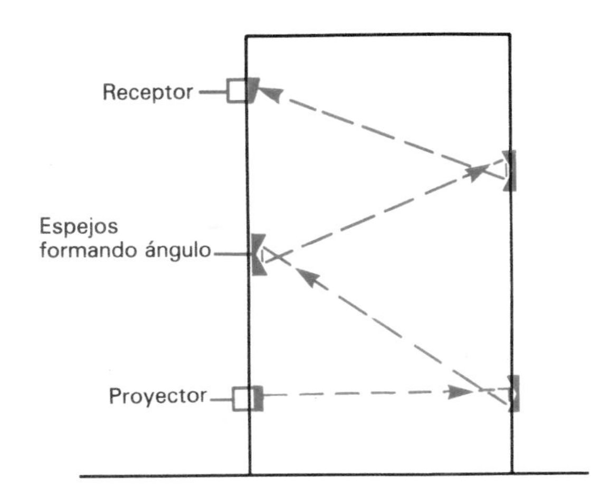

Detector de movimientos mediante haz luminoso.

dular que apaga y enciende el haz intermitentemente con la frecuencia de sintonía del circuito de la célula fotoeléctrica. Cualquier interferencia en el proyector o en el receptor modifica la modulación y pone en marcha la alarma. Este aparato, que es sumamente seguro, quizás resulte demasiado caro para el uso en el hogar. Los elementos de un haz sin modular pueden adquirirse en una tienda de recambios de radio, pudiendo instalarse sistemas sencillos a un coste relativamente bajo. Naturalmente, es preciso conectar la lámpara a la red y la célula a una batería. La alarma se dispara cuando deja de incidir el rayo de luz en la célula a causa de algo que interrumpa el haz luminoso o si se produce la interrupción de la corriente de la red, pero se puede utilizar una batería de reserva para alimentar el sistema; en este caso, y dado que la energía necesaria para mantener la intensidad de luz pronto agotaría la batería, debe haber un dispositivo que aísle el sistema para evitar que suene la alarma cuando se agote la batería.

Cuando se utiliza una lámpara incandescente para formar el rayo, la pérdida de luz se produce casi desde el mismo instante en que se conecta. Continuamente va disminuyendo la intensidad luminosa a medida que la lámpara va envejeciendo, aunque no sea perceptible por el ojo humano. De todas formas es importante que el aparato no llegue al límite de su agotamiento, aunque una ligera pérdida de luminosidad no es perjudicial. La detección de un intruso la efectúa el aparato al producirse una total interrupción del haz, no de sólo una parte de su luz.

Como se ha dicho anteriormente, los espejos pueden producir una pérdida de luz en su trayectoria, pero también la bruma puede cubrir la superficie del reflector. Con un reflector, la pérdida real es del orden del veinticinco por ciento; con dos reflectores llega hasta cerca del cuarenta por ciento. Sin embargo, cuando hay dos reflectores a una distancia nominal de 30 metros (100 pies), el haz es como si fuera de 18 metros (60 pies). Al medir la longitud de dicha trayectoria del haz necesaria para poder escoger el equipo, hay que tener muy en cuenta estos factores, en caso contrario el aparato puede ser sobredimensionado y producir falsas alarmas.

Concesiones del seguro

Normalmente no se hacen descuentos en las primas de seguros por el hecho de tener instalados sistemas de protección. La postura de los aseguradores en relación con los riesgos de comercios e industrias suele ser condicionada a las medidas de seguridad adoptadas por los ocupantes. Asimismo, la aceptación de riesgos está habitualmente supeditada al mantenimiento de las condiciones estipuladas en el contrato de la empresa instaladora.

Tampoco, no se suelen efectuar descuentos a los particulares en función de los aparatos instalados por ellos mismos. Cualquiera que desee beneficiarse de ventajas con el seguro, como estancos, comerciantes vinícolas o joyerías, deberá solicitar de la empresa aseguradora la especificación del tipo de protección que se les exija.

En la protección de bienes donde las empresas aseguradoras no establecen ningún tipo de condición, como en el caso de viviendas privadas, los sistemas de alarma de *bricolage* proporcionan una valiosa seguridad a sus ocupantes.

Las compañías de seguros, no ofrecen ningún tipo de descuento en las primas para riesgos de tipo doméstico. Sin embargo, los suministradores de sistemas de seguridad, conjuntamente con los agentes de seguros, pueden llegar a ventajosos acuerdos a favor de sus clientes. Por ejemplo, Eurolec Security Services Ltd., con sus equipos «Songuard» han conseguido llegar a acuerdos con sus agentes, que son miembros de la BIBA (British Insurance Brokers Association = Asociación de Seguros Británicos). Fundamentalmente, se ofrece al cliente un paquete de producto y servicio al adquirir los sistemas y aparatos electrónicos de protección contra los ladrones. Los suministradores y sus representantes otorgan una reducción de las primas a sus clientes. La única premisa es que la compañía aseguradora debe intervenir en aquellos casos donde los representantes llevan a cabo esta clase de operaciones, pero esto incluye 15 oficinas de seguros.

Este nuevo incentivo para los propietarios que adoptan sistemas de protección pone de manifiesto el incremento de riesgo en las viviendas privadas (y en consecuencia, el aumento de pérdidas de los aseguradores). Las cifras de las pérdidas en Gran Bretaña durante 1980, recopiladas por la BIBA, demuestran que el número de robos en las viviendas ha aumentado un cincuenta y cinco por ciento. Esto significa casi el doble de las pérdidas habidas dos años antes. Los ladrones fijan sus objetivos en lugares ambiciosos y prácticamente cualquier propiedad está expuesta a ellos.

En Londres y otras grandes ciudades, el número de robos y crímenes conexos aumenta, mientras que en zonas rurales disminuye. Esto se refleja en las primas de seguros.

Capítulo 5
Plan de protección contra los intrusos

Como fase inicial, examine su casa de manera diferente a la habitual. Imagínese que fuera Vd. mismo el ladrón y considere lo que haría para penetrar en la vivienda, sin tener en cuenta los posibles daños que ocasione.

Probablemente hay muchos cabezas de familia que han perdido las llaves o se han visto encerrados fuera de su propia casa y han tenido que idear la manera de forzar la entrada para poder penetrar en el interior. Esto se puede conseguir rompiendo un cristal de la puerta de entrada a fin de tener acceso a la cerradura, o bien sacando la masilla de uno de los cristales de alguna de las ventanas, para poder sacarlo y entrar por ella. Cualquiera de los medios utilizados por el cabeza de familia también puede ser empleado por un intruso, si bien éste no tendrá tanto cuidado para no estropear la propiedad y quizás se arriesgue más escalando hasta una de las ventanas superiores, cosa que no haría el ocupante de la casa. Hay que considerar todas estas posibilidades y confeccionar una relación, comprobando posteriormente que no se ha olvidado ninguno de los puntos débiles. Esta lista puede ser la siguiente:

¿Hay ventanas fácilmente accesibles?

¿Qué ventanas son visibles desde la calle o las casas contiguas?

¿Hay algunas puertas o ventanas total o parcialmente escondidas por árboles o construcciones externas?

Si hay un porche delantero o una entrada adicional ¿puede verse la gente que intenta entrar desde la calle o casa contiguas?

¿Hay puertas con cristales que pueden romperse para acceder a las cerraduras o pestillos y abrirlas fácilmente?

¿Hay ventanas en la parte superior que sean accesibles desde la cubierta del garaje o de las ampliaciones de la casa?

¿Pueden escalarse los tubos de desagüe?

¿Hay algún árbol grande cerca de la casa que pueda ser utilizado para llegar a las ventanas altas o que pueda encubrir a alguien que escala la casa?

Si hay claraboyas ¿pueden ser alcanzadas por una persona ágil? (Un ladrón puede haber trabajado como colocador de tejas y estar acostumbrado a moverse por cubiertas inclinadas.)

Si hay un cobertizo o invernadero con herramientas y escaleras de mano, ¿lo tiene bien cerrado?

¿Qué tipo de cerradura tiene la puerta de entrada principal? ¿Y la puerta lateral? ¿Y la puerta de la parte posterior del patio?

¿Ha instalado elementos de seguridad en las ventanas de mejor calidad que los suministrados por el constructor?

¿Hay alguna ventana que haga ruido por efecto del viento, poniendo de manifiesto que hay espacio para meter una palanca y forzarla?

Inspeccionando su vivienda de este modo, posiblemente descubrirá puntos sobre los que jamás había prestado atención, dado que le resultan familiares.

Si vive en un piso ha de tener en cuenta otros aspectos. A no ser que su piso sea de los más bajos (entresuelo o primer piso) no es tan necesario prestar atención a las ventanas. Pero si existen construcciones como

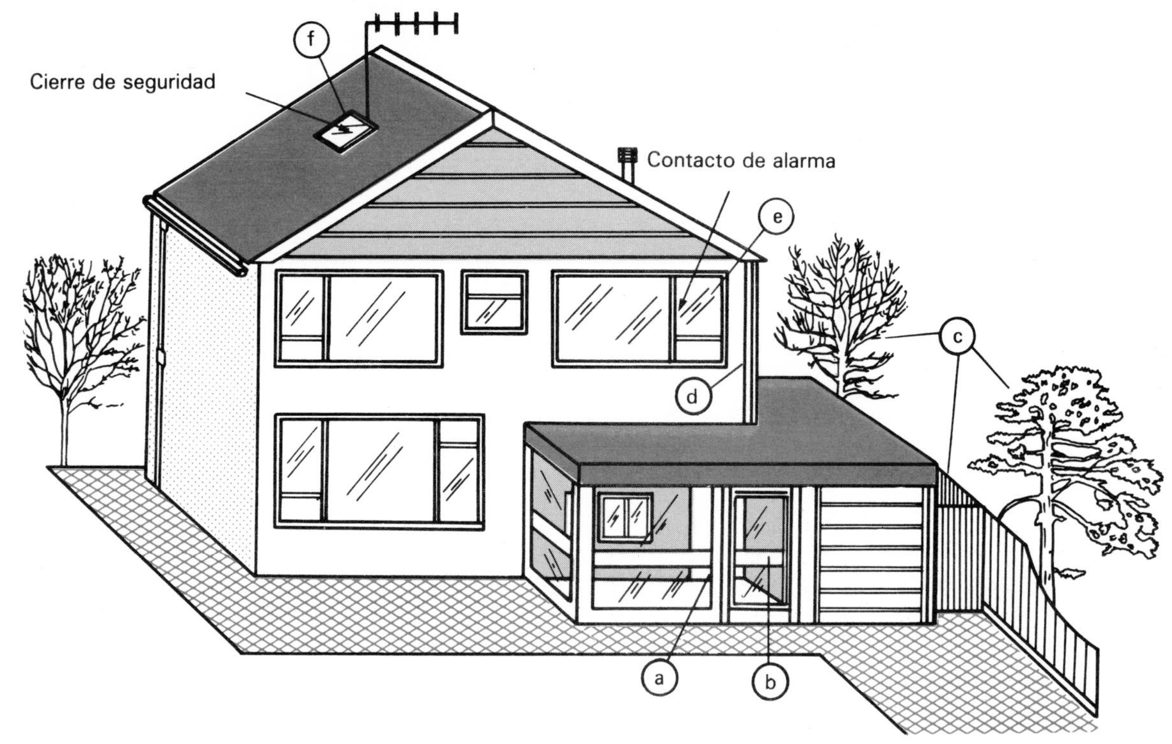

Casa separada con garaje incorporado: (a) el porche podría servir de escudo, por lo que es importante la seguridad de la puerta principal; (b) si hay un buzón en la puerta del porche, la acumulación de correspondencia puede indicar que la casa está vacía; (c) la valla y los árboles cubren la entrada lateral; (d) el bajante del desagüe puede servir para subir a la ventana y al tejado; (e) la ventana es accesible desde la cubierta plana; (f) la claraboya del tejado puede servir de entrada.

balcones que faciliten el paso a un ladrón sin necesidad de usar escaleras u otros sistemas para subir, entonces ha de vigilar las ventanas como si se tratara de una vivienda independiente. La lista de comprobación para un piso, podría ser la siguiente:

¿Hay pasillos, corredores o escaleras dispuestos de modo que impidan la visibilidad de la entrada del piso a la gente que entra o sale del edificio?

¿Hay puertas de entrada ocultas por ángulos del edificio?

¿Existe una salida de emergencia que permita usarla para entrar o salir del edificio?

Si hay salida de emergencia, ¿hay ventanas o cristales junto a ella?

¿Se puede acceder al tejado del edificio y desde allí alcanzar los balcones?

En el caso de que exista buhardilla, ¿puede distinguirse desde otra casa una persona que se mueva cerca del tejado?

Otras propiedades, como *bungalows* y *chalets* o caravanas deben examinarse de modo similar, verificando todos los puntos accesibles para el ladrón.

Evidentemente, todas las ventanas de una vivienda de una planta resultan accesibles. En un *bungalow,* el número de ventanas es muy superior al que encontramos en una vivienda similar para la planta baja, por lo que los riesgos de penetración de intrusos es mayor.

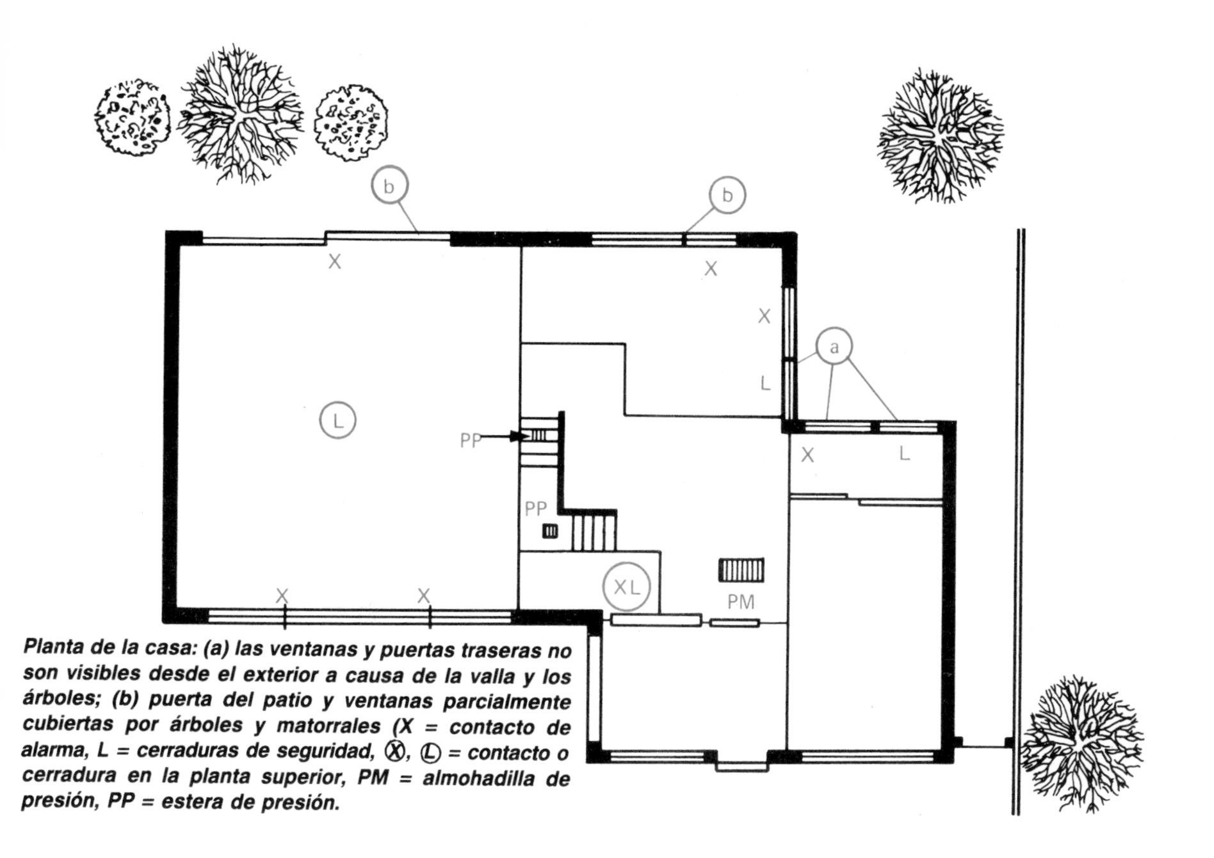

Planta de la casa: (a) las ventanas y puertas traseras no son visibles desde el exterior a causa de la valla y los árboles; (b) puerta del patio y ventanas parcialmente cubiertas por árboles y matorrales (X = contacto de alarma, L = cerraduras de seguridad, Ⓧ, Ⓛ = contacto o cerradura en la planta superior, PM = almohadilla de presión, PP = estera de presión.

Cuando los *chalets* y caravanas están habitados necesitan la protección habitual, pero hay que tomar precauciones especiales si se dejan vacíos durante largos periodos.

Después de llevar a cabo la inspección, estará en condiciones de determinar las medidas de seguridad que debe adoptar. Como medida básica, es obvio que ha de asegurar todas las cerraduras, pestillos y demás elementos de protección, comprobando que funcionan perfectamente y están sólidamente sujetos. Si aún no ha instalado un sistema de alarma, es muy importante considerar el tipo de aparatos que debe montar. Por contra, si el sistema ya está instalado, ha de asegurarse que sea el más adecuado y si es preciso ampliarlo.

En el plano superior de esta página se ofrece un proyecto de sistema de alarma y los diferentes puntos de seguridad física que deberían adoptarse en una vivienda independiente de tres dormitorios, con garaje anexo.

Detectores de movimiento

Los detectores de movimiento no han de ocultarse, pues todo intento que se haga para desactivarlos requiere unos movimientos que serán registrados por el aparato. Las unidades de ultrasonidos y microondas se fijan en una posición permanente en la pared, o pueden colocarse sobre un mueble como si se tratara de un pequeño aparato de radio o calefactor de aire caliente. La onda detectora es emitida por el instrumento, por lo que el detector ha de situarse hacia el rincón de la zona protegida, para que no se pueda penetrar en ella sin atravesar la onda. Una vez transcurrido el período de puesta en marcha, el detector habrá establecido la forma de onda normal y cualquier variación en la misma hará sonar la alarma.

Como alarmas detectoras, ambos tipos de aparatos electrónicos son buenos, pero el modelo de ultrasonidos es más adecuado para viviendas residenciales, puesto que no existe el riesgo de exploración más allá de los límites del espacio para el que se proyecta. La forma de la onda puede ajustarse de modo que sea adecuada para proteger pasillos, o bien ensancharla para espacios cuadrados o rectangulares.

Naturalmente, es mejor evitar la entrada de un intruso que detectar su presencia una vez dentro de la casa, por lo que los detectores de movimientos han de considerarse como una segunda línea de defensa, dando siempre prioridad a la seguridad física de puertas y ventanas.

Coste del equipo

No resulta práctico hacer una lista con los precios de los diferentes tipos de aparatos, dado el incremento anual que experimentan los costes de fabricación y los materiales. En realidad los principales costes de la instalación de un sistema se deben a la mano de obra y materiales empleados para su montaje. Un instalador aficionado al *bricolage* posiblemente ahorre la mitad de lo que cuesta un sistema instalado por un especialista. Evidentemente, puede incluso economizar este coste si se adoptan aparatos que no requieren trabajo de instalación.

Si los requisitos proyectados son tan complicados que justifican la instalación de detectores o receptores acústicos, unidos a las principales unidades de protección, es preferible elegir modelos donde el fabricante haya previsto la posibilidad de efectuar conexiones para ampliaciones. No todas las conexiones pueden hacerse sin desmontar y montar los puntos de contacto. Aun en el caso de que esto sólo signifique sacar y taladrar las tapas, hay más trabajo y, consecuentemente mayor coste.

Se argumenta que las conexiones mediante enchufes entre las diferentes piezas de aparatos permite al intruso desconectarlas y neutralizar el sistema de alarma. Como réplica se dice que si un intruso es capaz de llegar a las conexiones sin que suene la alarma, es señal de que la instalación no está bien hecha o no sirve.

El ahorro en los costes de los aparatos o la instalación no ha de servir de criterio salvo que se elija entre equipos de igual eficacia. No obstante, raramente se hace un análisis real; muchas veces la elección se realiza por el aspecto, conveniencia y servicio postventa.

Capítulo 6
Seguridad de valores de tamaño reducido

Los documentos y pequeños valores que no se crea conveniente depositar en el banco pueden protegerse metiéndolos en un arca o caja de caudales instalada en la propia vivienda. Las arcas de caudales domésticas están pensadas para ser empotradas en la pared o el piso, lo cual las diferencia de las pesadas arcas estacionadas que se utilizan habitualmente en los despachos.

Las arcas protegen los valores ante un posible ladrón durante cierto tiempo, pero ante un ladrón profesional provisto de herramientas adecuadas que cuente con tiempo suficiente, es posible que lleguen a ceder. Una vivienda desocupada por hallarse la familia de vacaciones, quizás facilite el trabajo al ladrón y llegue a desvalijar un arca de caudales. No obstante, si la familia se encuentra en casa, las arcas de caudales pueden constituir un elemento de seguridad.

Las arcas de caudales no sólo ofrecen

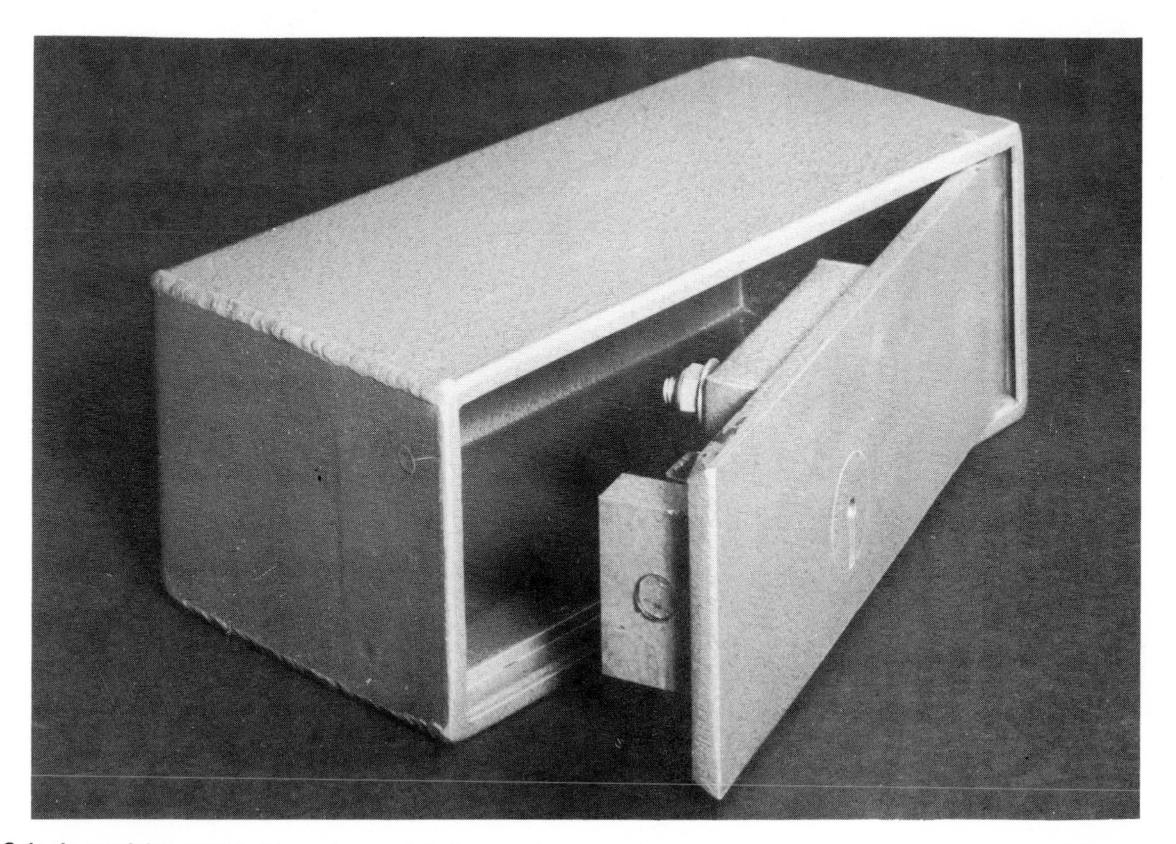

Caja de caudales empotrable en la pared de la casa; la puerta de acero de 6 mm lleva una cerradura de pestillo que se cierra mediante un mecanismo de seis palanquitas (gentileza de Chubb).

Arca de caudales empotrable, de mayor tamaño que la anterior, provista de una cerradura de combinación, sin llave; para su instalación se precisa un muro o antepecho de chimenea de 360 mm (14 pulgadas) de grosor, como mínimo. También existe un modelo con cerradura de llave (gentileza de Chubb).

protección contra los ladrones sino también ante un posible incendio. Las arcas domésticas no suelen construirse siguiendo las normas de seguridad contra el fuego, pero su contenido queda bien protegido, sobre todo si la caja está empotrada en un muro de hormigón.

Evidentemente es muy importante que la caja o arca de caudales esté bien escondida. Si se coloca en el piso puede cubrirse con una alfombra. La instalada en la pared se disimula con un cuadro u otro elemento decorativo.

Un arca de caudales bastante usual para empotrar en la pared suele ser del tamaño de un ladrillo y basta sacar uno de ellos y colocarla en su lugar, previamente rodeada con mortero. También hay arcas de mayor tamaño, que coinciden con el espacio ocupado por dos, tres o cinco ladrillos; también existen arcas de doble profundidad que se empotran en muros gruesos de unos 360 mm (14 pulgadas) de espesor.

La mayoría de cajas de caudales para el hogar disponen de cerraduras accionadas con llave, pero también las hay que llevan cerraduras de combinación. Las arcas provistas de combinación requieren muros de mayor grosor que las que disponen de cerraduras con llave, puesto que necesitan espacio para el botón de cierre que está montado en la superficie de la tapa.

Cajas de seguridad

Hay cajas fuertes para guardar documentos y pequeñas cantidades de dinero que no requieran alta seguridad. Este tipo de cajas también se construyen con cerradura de llave o combinación. Si no hay que transportar la caja puede fijarse con tornillos sobre una base, taladrando agujeros en el fondo de la caja.

También hay modelos especialmente diseñados para llevarlos en el coche u otro vehículo. Estas cajas tienen ranuras para introducir monedas y billetes a fin de no tener que abrirlas para introducir el dinero. Llevan una placa de acero para facilitar su atornillado al chasis del vehículo.

Protección contra el fuego

Introducción

La protección ante el fuego se viene adoptando cada vez en mayor grado, más en vistas a la seguridad de los ocupantes de la vivienda que para preservar los bienes. El seguro de incendios es esencial puesto que permite resarcirse de los aspectos económicos ante un siniestro, pero no hay seguro que compense las heridas o las pérdidas de personas que puede ocasionar tal siniestro.

Medido en términos económicos únicamente, las pérdidas ocasionadas en las propiedades residenciales son relativamente pequeñas, si se comparan con las ocasionadas en las propiedades industriales y comerciales. Los incendios en las viviendas particulares no son lo bastante dramáticos para atraer la atención de la prensa o incluso para provocar los comentarios de las compañías de seguros. Sin embargo, la pérdida de vidas humanas como consecuencia de siniestros en las propiedades domésticas constituyen una proporción notable de todos los desastres ocasionados por el fuego a lo largo del año.

Aparte de los casos de niños y ancianos que se ven involucrados en accidentes productores de incendio a cualquier hora del día, la mayoría de siniestros tienen lugar durante la noche, cuando la gente se halla en la cama. Es posible que mientras haya personas moviéndose por la casa descubran los motivos de siniestro. Por la noche, las posibilidades de detección de tales indicios se reducen notablemente e incluso dejan de producirse. Dicho de otro modo, durante las horas del día en que se está ocupado, la pronta detección de un inicio de fuego permite extinguirlo tomando las medidas pertinentes, pero cuando la gente está en la cama los ocupantes de la vivienda son mucho más vulnerables.

En todos los tipos de propiedad se pone de manifiesto un aumento inexplicable de incendios. Un informe elaborado por el Inspector Jefe de Bomberos, nos indica las cifras de incendios en Inglaterra y País de Gales referentes al año 1979. En dicho informe se mencionan 272.000 incendios, con un incremento de 32.000 sobre el año precedente. Un total de 738 personas perdieron su vida en dichos siniestos, ello sin incluir las desgracias y heridas sufridas por los bomberos que intervinieron en su extinción.

Los datos incluyen incidentes producidos tanto en las propiedades industriales, comerciales como en las domésticas, pero no constan las víctimas comprendidas en cada apartado. En cualquier caso es evidente que en los incendios no sólo peligran los ocupantes de las propiedades siniestradas sino también están sujetos a riesgo aquellos que acuden en su ayuda.

Capítulo 7
Riesgo de incendio

Es imposible hacer una lista de todas las posibles causas de incendio, del mismo modo que resulta imposible imaginarse los diferentes accidentes que pueden producirse. No obstante, hay muchas investigaciones que ponen de manifiesto que existen determinados motivos comunes.

Posiblemente uno de los motivos más frecuentes se debe a la electricidad y los accidentes que el uso de la corriente eléctrica lleva consigo. En gran parte esto se debe al empleo de aparatos portátiles eléctricos y la falta de cuidados que se tiene con ellos. En las viviendas modernas se emplean muchos de estos aparatos, algunos incluso las veinticuatro horas del día. Acostumbran a conectarse mediante enchufes unidos a cables flexibles.

Los congeladores, refrigeradores, controles de la calefacción central, todos llevan elementos automáticos que conectan y desconectan automáticamente los aparatos mientras usted duerme. Si están bien instalados y en buenas condiciones, son bastante seguros, pero si falta aislamiento en los cables o existen vibraciones en conexiones débiles, pueden producirse chispas entre los contactos. Un chisporroteo reiterado genera calor y el calor es el inicio de un fuego. Con una fuente de fuego eléctrica de este tipo, puede pasar desapercibido el punto de origen hasta que no existan llamas.

Dejando aparte los posibles defectos en los aparatos o en la instalación existente, la causa más frecuente de incencios de origen eléctrico se debe a cables sobrecargados. La sobrecarga puede ser debida al empleo de excesivas conexiones en un mismo enchu-

Este tipo de conexiones es muy propenso a incendios. Los cables sobrecalentados (en especial cuando son instalaciones viejas –observe los enchufes de clavijas redondas) estropeados o mal reparados, empalmados sin enchufes, son muy peligrosos.

fe usando adaptadores, o al empleo de un fusible inadecuado.

Teóricamente, el fusible debe proteger ante la sobrecarga de un cable. Ningún fusible adecuado permitirá que se produzca un incendio eléctrico por haber conectado un kilovatio de potencia en un enchufe de luz. Sin embargo, hay casos en que no se utilizan los fusibles adecuados, pues cuando uno se funde se sustituye por el primero que se tiene a mano o se coloca uno más potente, dado que el que había se funde reiteradamente. Algunas veces se ha llegado a sustituir un fusible por una horquilla o un trozo de cable eléctrico, lo cual es terriblemente peligroso.

Cuando los fusibles se funden reiteradamente es señal de que existe sobrecarga o algún cortocircuito accidental por defecto en alguno de los aparatos conectados. En tal caso un electricista experimentado ha de investigar el motivo. Si para evitar que se funda el fusible se aplica uno más grueso, lo único que conseguiremos será convertir los cables escondidos en la pared o debajo del piso en elementos calefactores. Los peligros que ello representa son evidentes.

Estufas eléctricas portátiles

A veces los incendios se producen por falta de cuidado al usar calefactores o estufas eléctricos portátiles, en especial cuando son del tipo que tiene un elemento que se pone al rojo. Si estos aparatos se colocan junto a un material combustible, como muebles y cortinas, pueden provocar un incendio sin necesidad de que el elemento calefactor se ponga en contacto con el material.

Las estufas del tipo de convección parecen ser mucho más seguras dado que no tienen elementos incandescentes expuestos. De hecho *son* seguras, siempre y cuando sus cables estén en buenas condiciones, no tengan nada encima y estén situadas en un lugar con espacio suficiente para que el aire pueda circular libremente a su alrededor. Las mismas observaciones deben hacerse con respecto a los calefactores que tienen un ventilador para obligar al aire a circular sobre los elementos calientes. Lo principal es que nada impida el paso del aire por el calefactor.

Ningún modelo de calefactor que haya sido diseñado para calentar una habitación debe ser empleado en espacios reducidos como los de un aparador. Algunos incendios se han generado por haber usado un calefactor portátil dentro de un aparador con objeto de secar ropa. Hacer esto constituye un alto riesgo.

Estufas eléctricas fijas

Las estufas y calentadores cuyos elementos térmicos están totalmente cerrados (por ejemplo, calentadores de acumulación de agua durante la noche y las estufas llenas de aceite o tubulares que se utilizan para mantener cierta temperatura en garajes, almacenes y aparadores) son muy seguros si se utilizan como es debido.

Para que el calefactor resulte eficaz es preciso que haya circulación de aire, pero la ventilación también es necesaria para la seguridad. Conviene asegurarse que el calefactor no está cubierto con materiales blandos, tales como ropas. Cualquier calefactor utilizado para airear ropas debe estar provisto de una rejilla metálica que impida que los artículos puedan caer encima y taparlo.

Está muy bien que se *intente* ser cuidadoso con el empleo de estufas, en especial si son portátiles, pero es evidente que se pueden producir distracciones en el hogar. Los fuegos que se originan por haberse olvidado de desconectar aparatos eléctricos no son nada

Estos fuegos iniciados por la caída de un cigarrillo encendido o una cerilla mal apagada sobre la tapicería se extienden con rapidez cuando no se tiene un extintor a mano para su uso inmediato (gentileza de Chubb).

raros, y las precauciones pertinentes han de ser adoptadas antes de usarlos.

Materiales combustibles en el hogar

Los modernos muebles pueden ir tapizados con materias que no sólo se inflaman fácilmente, sino que las llamas se extienden con suma rapidez. Los productos de espuma plástica hace años que son utilizados por los tapiceros. Dada su densidad y tacto suave, la espuma de poliuretano se ha convertido en uno de los rellenos más empleados. Pero, puede encenderse con una cerilla mal apagada o una colilla, e incluso por una chispa. Se ha comprobado que es un material muy peligroso en caso de incendio, no sólo por la rapidez de combustión, sino por el humo tóxico que desprende cuando está ardiendo, hasta el extremo que muchos jefes del cuerpo de bomberos han propuesto que se prescinda de su empleo en tapicería.

También se utilizan otros materiales plásticos, la mayor parte de los cuales están formados a base de PVC (cloruro de polivinilo). Generalmente el PVC no soporta su propia combustión y por tanto resulta difícil hacerlo arder. No obstante, cuando está colocado sobre otros materiales, se descompone, produciendo gran cantidad de gases venenosos.

El poliestireno y el poliestireno expandido son los materiales más usados en decoración, y también constituyen un riesgo. Todas las losetas que se venden en la actualidad son del tipo SX (autoextingibles). Las que no estén tratadas se pueden hacer más seguras si se les aplica una pintura retardadora de la acción del fuego; una capa de pintura de emulsión también mejora algo su resistencia al fuego. Jamás debe pintarlas con pintura brillante pues conserva muy bien la llama. Tampoco debe usar el sistema de cinco puntos de cola para fijar las losetas o placas, sino que ha de aplicar la cola sobre toda la superficie a pegar.

Las espumas de látex y caucho también arden fácilmente. Estos materiales se utilizan menos que antaño, quizás debido más a su precio que a otra causa. En caso de incendio se funden y generan cantidad de humo, pero no resultan más peligrosos que los plásticos, por lo menos en lo que respecta a su toxicidad.

Si todo esto parece convertir la casa en un lugar peligroso, los peligros no son tan nuevos. Siempre ha existido el riesgo de incendio. Los nuevos materiales en sustitución de los que se venían utilizando, lo único que hacen es introducir riesgos distintos. Mientras la industria y el comercio hace años que se vienen ocupando de los riesgos de incendio, en el campo del hogar ahora empieza a prestárseles atención real.

Accidentes por el fuego de la cocina

La mayoría de viviendas concentran en la cocina la mayor cantidad de equipos eléctricos. Es el lugar donde se acumula más calor y donde existe el mayor riesgo de accidente.

Sin duda, el fuego más alarmante es el que se puede producir al freír con la sartén. El origen del fuego puede ser debido al vertido de aceite o grasa sobre los elementos calientes de la cocina, al borboteo, vuelco, sobrecalentamiento por olvido de sartenes y otros útiles usados para freír.

Los fuegos generados por el aceite o grasa requieren una acción especial para evitar el indeseable y desastroso desarrollo del incendio. Las medidas a tomar en tales casos se exponen en los capítulos 10 y 11.

Calefactores portátiles de parafina

A pesar de las reiteradas advertencias de los bomberos, en algunas viviendas se generan incendios por el empleo de calefactores portátiles de parafina.

Desde el punto de vista de la seguridad, no es conveniente tener líquidos inflamables almacenados junto al fuego. Es verdad que los fabricantes, en los últimos años, vienen prestando especial atención en el diseño de calefactores de parafina capaces de apagarse si se produce un vertido accidental sobre la llama. Mientras el aparato se halla en buenas condiciones, el dispositivo de autoextinción funciona perfectamente, pero no se puede asegurar que un calefactor que no se cuide como es debido dé la protección necesaria. Incluso estando en buenas condiciones, ningún calefactor puede evitar el fuego que se generaría a causa de las salpicaduras de combustible ocurridas durante su llenado, o a fisuras y pérdidas en el depósito.

Desgraciadamente, parece que no existe una legislación que regule el mantenimiento de los calefactores de este tipo, si bien algo hay en zonas concretas.

Los fuegos de los calefactores de parafina han de apagarse de igual modo que los ocasionados por el aceite en la cocina; véase el capítulo 11.

Capítulo 8 Detectores y alarmas de incendio

En las viviendas ocupadas se puede reducir notablemente el riesgo de pérdida de vidas humanas si se instala un «vigilante» automático, un detector de fuego, que ponga en funcionamiento una alarma ante el inicio de cualquier incendio. Al ejercer su protección durante las propicias horas nocturas, un detector de incendios es la ayuda más valiosa para facilitar el salvamento de toda la familia. En la casa o piso de tipo medio no sería necesario ningún otro aparato de alarma.

Las construcciones de varias viviendas precisan algo más, para que la alarma accionada en una parte de la misma pueda ser transmitida a los demás ocupantes del edificio. Las pensiones, casas de huéspedes, pequeños y grandes hoteles deben tener alarmas que sean audibles en todo el edificio.

En edificios donde convivan gran cantidad de vecinos se exige un certificado extendido por las autoridades locales en el que se haga constar que las instalaciones cumplen los requisitos de la ley con respecto a la seguridad en caso de incendio; el cumplimiento de las normas del sistema de alarma y su mantenimiento sólo puede garantizarlas un ingeniero especializado en protección para el caso de incendio.

Las condiciones exigidas a las construcciones de tipo medio y pequeño, como pensiones del litoral, apartamentos y hoteles privados, para las cuales también hay normas legales al respecto, y requieren un certificado de la autoridad, suelen admitir las instalaciones efectuadas por un aficionado al *bricolage*. De todos modos el sistema instalado debe satisfacer los requisitos locales de prevención. Un propietario que se crea competente para hacer la instalación no tiene por qué buscar mano de obra ajena para que le haga el trabajo.

En esta parte del libro tratamos de los aparatos sencillos destinados a la detección automática del fuego y de las alarmas accionadas manualmente. En ella no se trata de instalaciones electrónicas y de alta tecnología que suelen adoptarse en los más avanzados sistemas de detección y alarma, empleando complicados aparatos de control para proteger grandes industrias u otras zonas de alto riesgo.

El principio de cualquier sistema de alarma es procurar que sea lo más sencilla posible, con el menor número posible de elementos que permitan cumplir su misión con toda eficacia. Cualquier complemento adicional o de embellecimiento que no aumente la eficacia real del sistema y que pudiera ser motivo de fallo, debe ser descartado.

Existen dos tipos básicos de detectores automáticos de fuego: los que captan los aumentos anormales de temperatura, y los que detectan la presencia de humo u otros productos de la combustión.

Detectores de calor

Los detectores de calor se vienen utilizando de una u otra forma desde el siglo dieciocho, produciéndose aparatos comerciales desde 1885.

Los detectores de calor mecánicos se basan en la reacción de determinados metales al incremento de la temperatura. Algunos utilizan la diferencia en los coeficientes de

Clásico detector de calor que debe ser conectado a un sistema de control; cubre una superficie de 93 m² (1000 pies cuadrados) (gentileza de Carters).

dilatación de bimetales, mientras otros aprovechan el movimiento que experimenta un metal al dilatarse y contraerse, estando sujeto por uno de los extremos en un punto fijo.

Los detectores modernos tienen un diseño muy compacto; la mayoría están construidos de modo que quepan en cajas eléctricas normalizadas. Algunos tipos trabajan como un termostato, funcionando a partir de una determinada temperatura. Pueden reajustarse para que establezcan contacto dentro de una gama de temperaturas entre 57 °C (135 °F) y 82 °C (180 °F). En ambientes cuya temperatura normal es elevada como cocinas o cuartos de calderas en edificios residenciales, pueden adoptarse aparatos que permiten ajustes por encima de las temperaturas antes mencionadas. En los circuitos de alarma de incendios, los contactos eléctricos están normalmente abiertos, cerrándose en el momento de completar el circuito. Esto se hace siempre así en los detectores de calor ajustados para una determinada temperatura, dado que el trabajo de los contactos es más eficaz a la temperatura crítica que en un circuito normalmente cerrado.

El otro tipo de detector de calor, que se utiliza en lugares donde existen condiciones normales de temperatura, es el compensado. Los pequeños cambios de temperatura que puedan producirse por la calefacción normal de la vivienda no llegan a accionar la alarma. Hay un compensador automático que permite estas variaciones y se reajusta de acuerdo a ellas. Pero si se produce un cambio brusco de la temperatura, los contactos se cierran rápidamente, completando el circuito y poniendo en funcionamiento la alarma acústica. Las reacciones del detector ante un rápido aumento de la temperatura son instantáneas. No es posible dar un tiempo normal de funcionamiento puesto que hay muchos factores imponderables. La velocidad de reacción depende de la posición del detector en relación al lugar donde se produce el fuego, o su posición en función de la corriente de aire caliente que procede del fuego. En los detec-

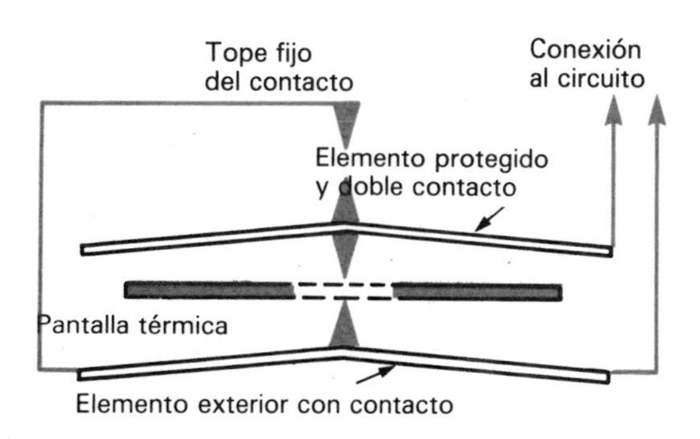

Principio de funcionamiento de un detector de calor compensado.

tores compensados no existe la posibilidad de ajustes a una determinada temperatura.

Esta clase de detectores tienen dos contactos de elementos metálicos, uno de los cuales se mueve más lentamente que el otro en relación al cambio de temperatura que se produce. (Uno de ellos puede estar protegido del aire ambiente, mientras el otro no lo está; o uno puede tener un metal más denso que el otro.) Al producirse un lento aumento de la temperatura como consecuencia de las condiciones atmosféricas o de la calefacción, se mantiene una separación entre los contactos. Pero si el incremento de temperatura es rápido, como cuando se produce un incendio, el contacto protegido se moverá más lentamente que el contacto sin proteger, el cual lo hará con suma rapidez, cerrándose el circuito.

Para evitar que la alarma no funcione en el caso de existir un fuego latente que aumenta lentamente, el aparato lleva un contacto fijo que impide el movimiento de compensación a partir de haber alcanzado una determinada temperatura.

Existen otros tipos de detectores de calor, utilizados en las grandes instalaciones, que comprenden termopares, tiristores y elementos móviles neumáticos o hidráulicos. Estos equipos no se venden a quienes pretenden efectuarse su propia instalación, siendo necesario disponer de un equipo de control para conectar los circuitos, lo cual resultará caro para las viviendas pequeñas.

Detectores de humo

Recientemente se hace mucha propaganda de los detectores de humo para la protección del hogar. Hace bastantes años que se emplean en la protección industrial, pero en los últimos veinte años las modernas y compactas unidades vienen mereciendo una gran aceptación. Los circuitos de estado sólido permiten fabricar aparatos que no sólo detectan el humo, sino que constituyen un completo sistema integral con su propia fuente de energía.

Hay dos tipos de detectores de humo. Uno de ellos, un aparato fotoeléctrico, realmente detecta el humo. El otro, que utiliza una cámara radiactiva, no capta realmente el humo visible, sino que detecta los productos de combustiones incompletas, como partículas de carbón transportadas por los gases, que resultan invisibles al ojo humano. Esto significa que puede detectar el inicio de un incendio que aún no es visible, pero hace posible que el humo generado por reacciones puramente químicas, aunque sea perfectamente visible, no sea captado por el detector radiactivo.

Simplificando, podemos decir que el detector fotoeléctrico ha de considerarse un *detector de humo,* mientras que el radiactivo es un *detector de combustión.*

Unidades detectoras de humo

Los modelos primitivos de aparatos fotoeléctricos para detección utilizaban la proyección de un rayo luminoso sobre la célula fotoeléctrica; mientras la intensidad luminosa mantenía el mismo valor, los contactos permanecían abiertos y la alarma no sonaba. Un equipo detector de humo consistía en una lámpara provista de un objetivo que proyectaba el rayo luminoso, una célula fotoeléctrica para recibir dicho rayo, y una unidad de control que servía de enlace con el sistema de alarma u otro aparato de señalización.

La lámpara y la célula fotoeléctrica se instalaban frente a frente a uno y otro lado de la zona a proteger. No era preciso que la unidad de control estuviera junto a la fotocélula, pero debían estar conectadas eléctricamente. Desde la lámpara salía un haz de luz blanca

Detector fotoeléctrico de humo con una superficie de control de 93 m^2. Ha de formar parte de un sistema de control (gentileza de Carters).

dirigida hacia la célula fotoeléctrica; ésta hacía que la bobina del relé recibiera corriente y los contactos permanecieran abiertos. Ajustando la cantidad de luz que incidía sobre la célula fotoeléctrica se podía establecer la sensibilidad del conjunto, haciendo que el relé funcionara según las condiciones y requisitos de protección.

Cuando decrecía la intensidad de la luz que incidía sobre la fotocélula, aumentaba la resistencia al paso de la corriente que alimentaban el relé, hasta llegar a un punto que ya no era capaz de excitarlo. En este momento se cerraban los contactos y se ponía en marcha la alarma. Todo el humo que se encontraba en el recorrido del haz luminoso reducía la proporción de luz, impidiendo que llegara a la fotocélula con toda su intensidad y, en consecuencia, poniendo en marcha el sistema de alarma.

El problema de estos aparatos era que cualquier tipo de polución, aunque no fuera humo, influía sobre el haz luminoso. El polvo intenso, el vapor, los gases, etc. podrían accionar la alarma. Esto, junto con la energía requerida por la lámpara, limitaba la amplia aceptación del aparato en la detección de incendios. Gracias al descubrimiento de los circuitos de estado sólido y los diodos emisores de luz (LED), se han superado los inconvenientes que tenían los detectores fotoeléctricos; asimismo, la fiabilidad de estos componentes en miniatura elimina las principales causas de falsas alarmas.

Las unidades detectoras modernas constituyen sistemas completos con suministro de energía incorporado. Hay demasiados modelos para mencionarlos, pero todos los fabricantes prestan suma atención al aspecto. El detector presentado en la ilustración de la página siguiente es un modelo característico, aunque hipotético, destinado a usos domésticos, basado en la tendencia actual en esta clase de aparatos; sólo tiene por objeto dar idea de estos detectores. Hay modelos de forma cuadrada y rectangular, mientras que otros fabricantes prefieren los modelos cilíndricos altos.

El montaje de la mayoría de detectores se efectúa con un par de tornillos largos que atraviesan la base del detector o fijan el soporte sobre el cual viene el aparato.

De modo distinto al de los antiguos detectores de humo con células fotoeléctricas, que iban provistos de dos clases de cableado, las actuales unidades detectoras no tienen ningún cableado. Todas las conexiones entre los diferentes componentes están integradas en un circuito impreso. La energía necesaria es suministrada por una pequeña batería ubicada en uno de los compartimientos del cuerpo del detector.

Todos los sistemas activan una alarma

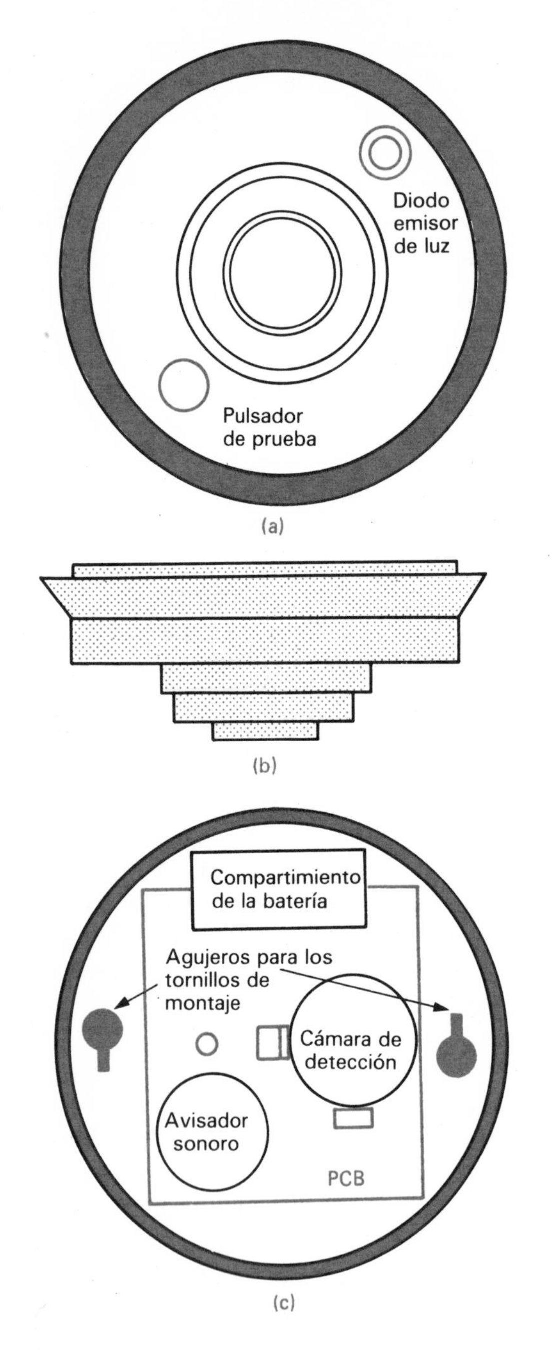

Unidad detectora de humo: (a) vista inferior, (b) vista lateral, (c) distribución con la tapa sacada.

sonora, salvo algunos modelos destinados a cumplir necesidades especiales (protección en escuelas para sordos, por ejemplo), y una unidad detectora tiene incorporada una alarma sonora pequeña, pero intensa.

El detector trabaja de modo distinto al del antiguo método descrito. En lugar de haber un haz luminoso dirigido continuamente hacia la célula fotoeléctrica, no existe luz alguna. Se coloca un diodo emisor de luz (LED) de modo que su haz no penetra en la célula fotoeléctrica mientras el aire que circula por la cámara de detección permanece limpio. Si existe humo, la luz del haz se dispersa y penetra en la fotocélula por reflexión, produciendo la reacción de dicha célula. De este modo se *reduce* la resistencia que impide que suene la alarma, y ésta comienza a emitir su característico sonido.

Aun cuando los LED consumen poca corriente, la necesidad de mantenerlos constantemente alimentados significa que las baterías deberían cambiarse con frecuencia. Para reducir el consumo de energía, los LED se conectan automáticamente durante un segundo de cada quince. Si hay humo en la cámara de detección mientras está conectada, se cierra el circuito y suena la alarma. Gracias a este sistema de ahorro energético se logra que una pequeña batería de máquina calculadora de nueve voltios dure más de un año. Es aconsejable proceder al cambio de baterías a intervalos no mayores de un año. Siempre deben emplearse baterías alcalinas herméticas.

En caso de haber pasado por alto el cambio de batería, un circuito especial de control nos lo recordará emitiendo un sonido periódico cada minuto durante unas cuarenta horas antes del total agotamiento de la batería.

Las unidades detectoras de humo llevan un botón de control. Al pulsarlo se introduce un deflector del haz luminoso en la cámara de detección y se pone en funcionamiento el sistema del mismo modo que lo haría caso de existir humo, dirigiendo el rayo de luz de la célula. Naturalmente, al comprobar el detector se consume mayor energía de la batería. Para evitar un consumo excesivo e innecesario, no hay que realizar las comprobaciones con mucha frecuencia; una vez al mes es suficiente. La mayoría de fabricantes de detectores colocan el LED de manera que se

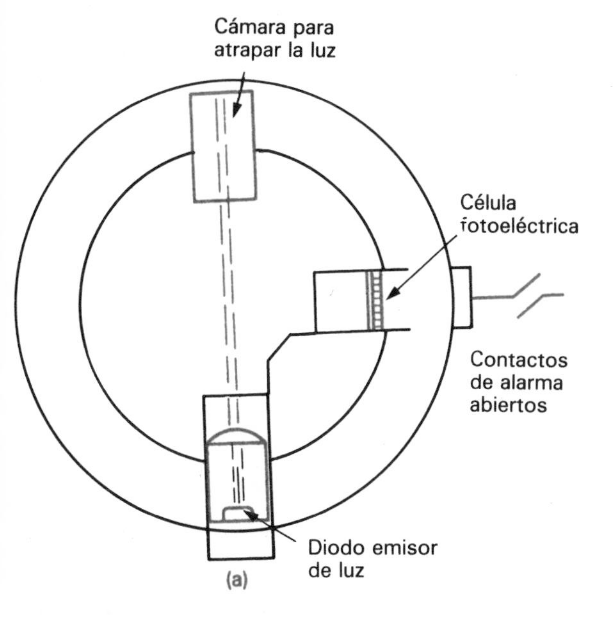

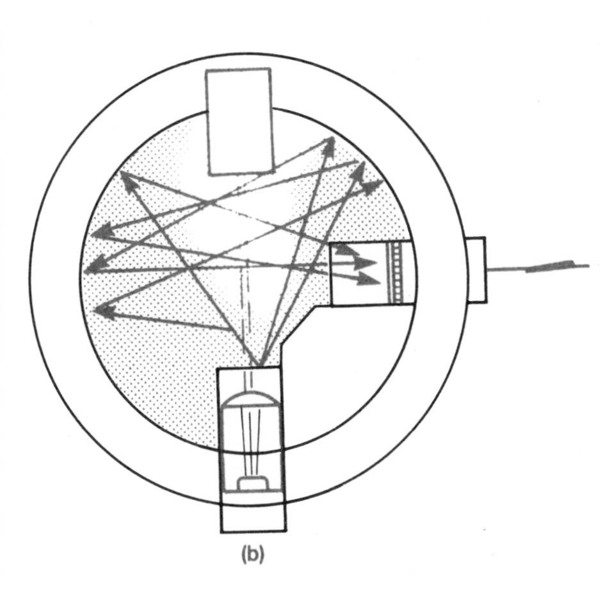

Cámara detectora de humo: (a) cuando no hay humo; (b) si hay humo, la luz emitida por el diodo se dispersa y es detectada por la célula fotoeléctrica, la cual cierra los contactos de alarma.

pueda ver mirando desde abajo y su fulgor basta para indicar que el detector está funcionando.

Al efectuar las pruebas, pueden transcurrir de uno a catorce segundos antes de que la alarma suene. Esto se debe a que el intervalo entre los ciclos de funcionamiento no coincide con el momento de pulsar el botón. La posible variación en el tiempo de espera para que suene la alarma no significa que el detector esté estropeado.

Algunos fabricantes colocan un enchufe para dos cables a fin de poder acoplar varios detectores o incorporarlos en otros sistemas de alarma. Cuando hay varios detectores conectados entre sí, la alarma de cada uno de ellos es accionada por su propia batería, y el detector que capta el humo actúa como interruptor para los demás de la serie.

Detectores de combustión

Aparentemente, tanto en tamaño como en aspecto, los detectores de combustión son muy parecidos a los detectores de humo, e incluso tienen precios parecidos. Ambos tipos de detectores están diseñados para proteger pequeñas propiedades. También las unidades detectoras de combustión constituyen sistemas completos, disponiendo de alarma acústica y batería incorporada; la batería es del tipo alcalino de nueve voltios.

La diferencia entre los detectores de humo y los de combustión reside en el método de detección y la naturaleza del fuego detectado. La luz ambiente no tiene que ser excluida de la cámara de detección de un aparato detector de combustión, puesto que la luz no interviene en su funcionamiento. En lugar de una cámara de exclusión de luz, hay dos cámaras. Una de ellas comunica con la atmósfera, y los productos de la combustión han de penetrar en la misma para su detección. Anexa a la cámara abierta hay otra cámara

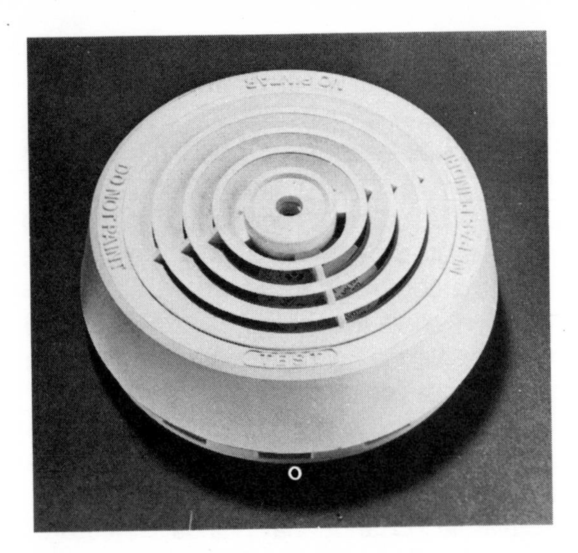

Un detector de combustión integral, que funciona por el principio de ionización; lleva una batería de dos años de duración y la sirena que incorpora suena desde el inicio de un fuego (gentileza de Photain Controls).

casi totalmente cerrada (existen modelos en los que está completamente cerrada) dentro de la cual hay una fuente radiactiva.

Por lo general, la fuente radiactiva utilizada consiste en un pequeño trozo de cinta impregnada de americio con una especificación de diez microcurios, como máximo. Al estar encerrada en la cámara interna para que no pueda tocarse y por el hecho de emitir sólo partículas alfa, que no son dañinas para la vida humana, el detector es totalmente seguro para su uso en el hogar, siempre y cuando la cámara interna no sufra daños.

La emisión radiactiva de un detector de fuego se compara muchas veces con la de las esferas luminosas de los relojes, afirmándose que su peligro no es mayor en ningún caso. Quizás esto no sea una comparación científica, pero servirá para indicar al profano la ínfima naturaleza radiactiva de la emisión empleada para la detección de fuegos. El método ha sido utilizado en la protección industrial durante treinta años y nada indica que haya sido perjudicial, siempre y cuando la cámara interna del detector no sufra daño alguno. No obstante, todos los aparatos radiactivos han de llevar el trébol utilizado como símbolo internacional de advertencia, por insignificante que sea la emisión.

Cuando los productos del fuego se introducen dentro de la cámara exterior son detectados por su efecto al ser comparados con las partículas del aire ionizado producidas por las radiaciones alfa de la cinta de americio. En condiciones normales existe una mezcla

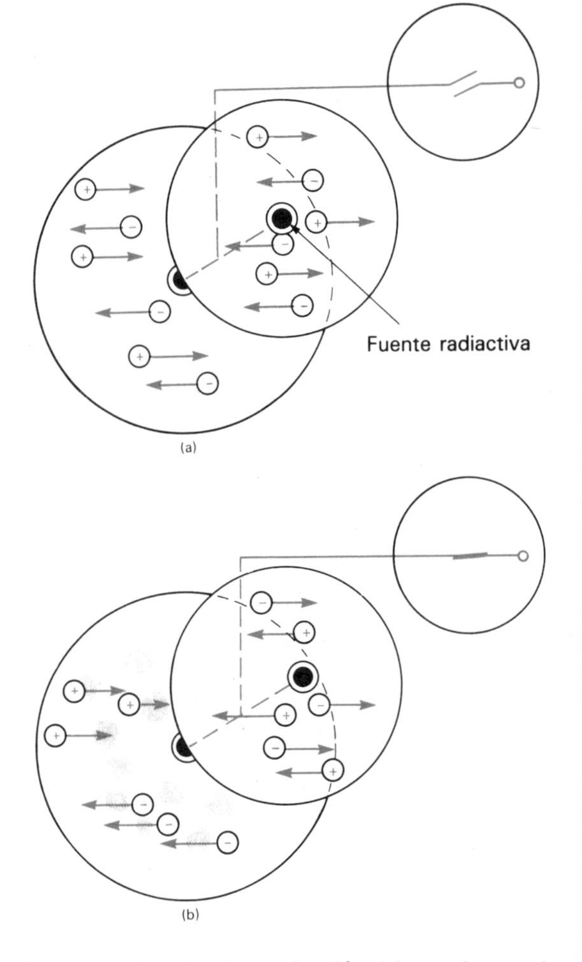

Cámara de detector de combustión: (a) cuando no existen productos de la combustión en su interior, los iones negativos y positivos están en equilibrio; (b) cuando existen productos de la combustión, el sistema queda desequilibrado y se cierran los contactos de la alarma.

Otro tipo de detector de combustión integral; la sirena se pone en marcha tan pronto como el contenido de carbón del humo que penetra en la cámara sensora descompensa el equilibrio de un circuito (gentileza de Hoover).

de partículas de aire con carga positiva y con carga negativa. Al penetrar partículas de la combustión en el aire ionizado de la cámara exterior se produce una atracción por parte de las partículas de aire de idéntica carga, ocasionando un desequilibrio y la consiguiente reducción del paso de corriente, lo cual dispara la alarma.

Los detectores de combustión llevan el mismo sistema de batería y alarma que los de humo. Su construcción es muy similar y se fijan con tornillos. Independientemente del método de detección, la otra diferencia consiste en que para comprobar el funcionamiento de los detectores de combustión hay que usar humo. Se emplea humo natural, como el conseguido quemando una mecha o un cigarrillo, el cual contiene las partículas necesarias para su detección. En algunos casos basta con usar un encendedor o una cerilla, si bien existe el riesgo de estropear el aspecto del detector si lo acercamos demasiado. Una vela también resulta adecuada, pero en ningún caso hay que emplear humos artificiales de tipo químico o simuladores de humo.

Comparación entre los detectores

El rendimiento comparativo entre los detectores de humos y de combustión es muy similar, y cada uno presenta ligeras ventajas sobre el otro en función de los aspectos de la detección del fuego. Los detectores fotoeléctricos, por lo general, responden antes a los conatos de incendio producidos por productos plásticos artificiales. Los detectores de combustión son más rápidos cuando se trata de descubrir fuegos generados por materiales y productos naturales.

Pueden existir diferencias entre los aparatos hechos por diversos fabricantes en lo que respecta a su capacidad de respuesta en las distintas condiciones de fuego. Hay tantas variables en la ubicación y tipos de fuego que resulta imposible reseñar en una tabla el modelo más adecuado en cada caso. En la Gran Bretaña, el Centro de Investigación del Fuego (actualmente la Fundación Boreham Wood de Investigación) ha llevado a cabo muchas pruebas y sacado conclusiones de cada una de ellas. Pero si fuera posible analizar todas las condiciones en que puede producirse un incendio, los resultados entre ambos tipos de detectores presentarían pocas diferencias para poder afirmar que uno es mejor que el otro. Desde el punto de vista de su aplicación en el hogar, hay que considerarlos idénticos.

Los detectores de calor reaccionan algo más lentamente que los detectores de humos de combustión (si bien los tipos compensados son más rápidos que aquellos que trabajan con temperatura preajustada). Esto se debe a que el incremento de calor tarda más en elevar la temperatura del detector que el tiempo requerido por el humo u otros productos para llegar a la ubicación del detector.

Por otra parte, los detectores de calor son menos propensos a emitir falsas alarmas que los otros tipos. Por dicho motivo son muy adecuados para proteger cocinas y cuartos de calderas, donde las condiciones normales podrían producir falsas alarmas en los detectores de humo o de combustión.

En todos los detectores, las alarmas siguen sonando hasta que las condiciones que la han disparado se hayan corregido, es decir, hasta que el humo haya desaparecido de la cámara de detección de humos o se enfríe el sensor de calor. La alarma generada por un defecto del detector puede pararse temporalmente, a la espera de la adecuada reparación, con sólo sacar la batería de dentro del aparato.

Alarmas sonoras manuales

Cuando se precisa ampliar la zona de audición de una alarma, como por ejemplo en las casas de varias plantas o en propiedades extensas, hay que considerar la posibilidad de instalar un sistema separado de alarma manual.

Sería preferible que se adoptara un mejor sistema automático de alarma sonora que funcionara en caso de incendio, como los modelos que se utilizan en locales industriales y comerciales. Estos sistemas resultan bastante caros, sin embargo, y varios de sus componentes sólo son accesibles a los instaladores profesionales.

Pero siempre es posible instalar un sistema de alarma contra incendios que se conmute a mano. Cualquiera que posea unos conocimientos básicos de circuitos eléctricos no tendrá ningún problema para construir un sistema satisfactorio alimentado por baterías. Naturalmente, sólo un electricista cualificado está capacitado para conectar el sistema a la red eléctrica. No obstante, en ningún caso se recomienda usar directamente la corriente de la red. El fuego puede haber estropeado las líneas y evitar que la alarma funcione. Cuando un sistema de alarma depende de la red de electricidad, uno se expone a que deje de sonar en el momento que debería hacerlo. Las baterías hacen que el sistema esté independizado de la red general, pero como es natural es limitado si las baterías no son recargables y no disponen de un cargador adecuado.

Los elementos sencillos de una alarma no son nada difíciles de conseguir. La mayoría de distribuidores de equipos eléctricos dispo-

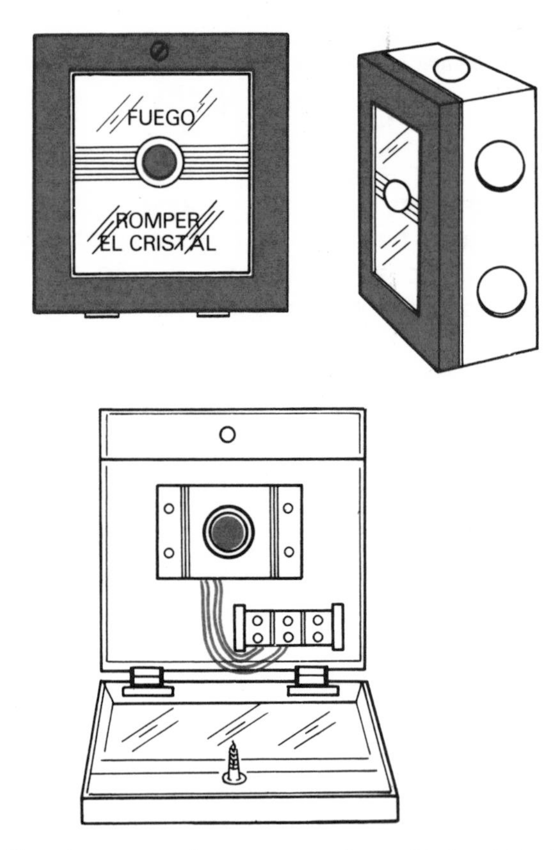

Una alarma manual que se pone en marcha al romper el cristal.

nen de timbres y probablemente algún tipo de contacto para el caso de fuego, que va dentro de una caja roja con tapa de cristal, la cual se conoce como alarma manual.

Ninguna razón técnica impide emplear como pulsadores de alarma cualquier otro tipo de contacto (si el circuito es cerrado puede ser un interruptor) y darle un acabado decorativo. Hay sistemas instalados que utilizan un sencillo interruptor de luz. Para evitar su empleo equivocadamente se suelen pintar de color rojo y se colocan dentro de una cajita de madera cubierta con un cristal. Cuando se adoptan interruptores o pulsadores normales sin caja protectora es muy fácil que alguien se equivoque y haga sonar la alarma, a veces incluso con una cierta malicia. En realidad, el coste total del interruptor, la caja de madera y el cristal puede llegar a superar el precio de una alarma manual ya fabricada.

Se dice que el amarillo es el color de emergencia (algún parque de bomberos utiliza coches pintados de amarillo) por lo que los pulsadores de alarma se pueden pintar de dicho color. También se asegura que el verde es el color de seguridad universalmente aceptado, y como la alarma manual es una medida de seguridad, podría pintarse de verde. No obstante, cualquiera que sea el color, conviene que los pulsadores de alarma se instalen en los puntos más convenientes de las rutas de emergencia del edificio y lleven un claro letrero que diga: «FUEGO».

Cuando se emplean pulsadores de timbre como pulsadores de alarmas, hay que recordar que sólo funcionan durante unos momentos. Puede decirse que sólo sonará la alarma mientras alguien mantenga el pulsador apretado con el dedo, a no ser que se adopte un sistema de retención.

Si únicamente existe un timbre en el circuito de alarma, será adecuado el más sencillo sistema básico. Puede ser alimentado con una gran batería de pilas secas, siempre y cuando se mantenga bien cargada. Las buenas baterías tienen una duración segura de un año, pero no más. La misma batería puede usarse para el timbre de la puerta o campanilla. En general, no es recomendable utilizar la batería del sistema de alarma para otros usos, puesto que puede agotarse y no suministrar la corriente necesaria en caso de emergencia; pero, en el hogar, donde las baterías se emplean a diario, es más fácil recordar que debe ser sustituida periódicamente.

Mejor que usar una batería independiente para el sistema de alarma, conviene disponer de una batería adicional con cargador, o una pila seca en cada timbre.

Las baterías con cargador automático se estropean con el tiempo cuando no se utilizan; no obstante, si se descargan periódicamente se consigue mantenerlas en buenas condiciones. Por tanto, si la batería está conectada a otros aparatos que absorban algo de su energía con una cierta periodicidad, la tendremos en perfecto estado, siempre y cuando su consumo no sea excesivo.

Capítulo 9
Plan de un sistema de alarma de incendios

Un diseño de casa vivienda familiar convencional en Gran Bretaña tiene la sala de estar en la planta baja y los dormitorios arriba. Existen excepciones como los edificios residenciales, *bungalows,* bloques de pisos y acomodaciones parecidas. Resulta algo más extraño hallar casas que tengan la zona de estar encima de las habitaciones.

Dónde instalar un detector

Los que habiten una casa que tenga los dormitorios en la planta baja, como un *bungalow,* no están tan expuestos a los riesgos de incendio como los que viven en una casa más convencional. Las viviendas de dos plantas, por lo general, sólo tienen un acceso a todas las dependencias de la casa, el vestíbulo, con una escalera que acostumbra a ser de madera. Los bomberos consideran las escaleras de los edificios como los «medios de escape»; por tanto dicha escalera en el vestíbulo debe servir de medio de escape en caso de necesidad.

En el caso de producirse un incendio, la seguridad de todos los ocupantes de la vivienda dependerá en gran parte de que la escalera, y el pasillo superior en especial, estén lo bastante despejados de humo al sonar la alarma para permitir la evacuación con suficiente visibilidad. En los incendios, la mayor parte de desgracias se deben a los efectos del humo y los gases calientes de la combustión, más que a las llamas. El humo produce pánico y resulta difícil superarlo pues es como si formara una verdadera barrera física.

En los edificios donde se reúne mucha gente, como hospitales, almacenes, teatros y grandes oficinas comerciales, debe haber escaleras de incendio y otros medios de escape que no sean afectados por el humo, para lo cual existen puertas «detenedoras» de humo y adecuada ventilación, según dictan las normas legales vigentes en muchos países. Las mismas normas también han de aplicarse a los bloques de pisos de nueva construcción y otros grandes edificios residenciales. Los detectores de humo o de combustión se suelen emplear conjuntamente con medidas de seguridad para la vida, no sólo para controlar aparatos sino también

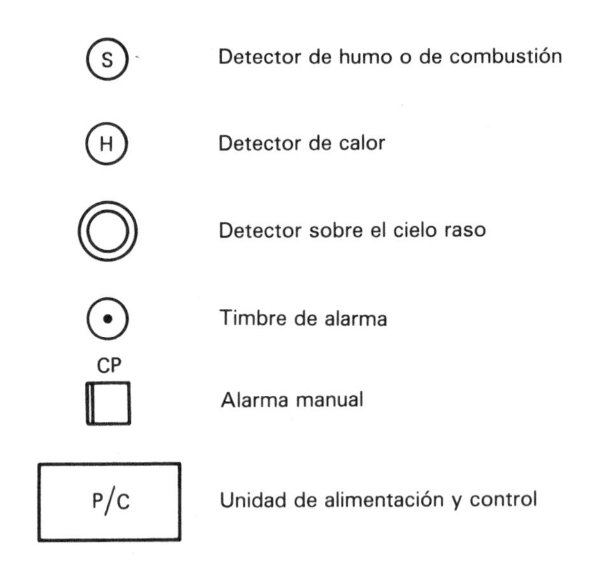

Símbolos utilizados en los esquemas de las instalaciones de protección en caso de incendio.

para emitir señales de peligro. De igual manera, aunque adecuados al tamaño y número de ocupantes, la casa familiar debe contar con medios parecidos.

Los detectores de los tipos indicados en el capítulo 8 se pueden instalar fácilmente en los lugares clave para que hagan sonar la alarma antes de que haya excesiva cantidad de humo en el ambiente que dificulte la salida. En el texto y esquemas siguientes se sugieren algunas disposiciones para la instalación de detectores, pero naturalmente hay tantas variantes como diseños de vivienda.

Casa de 2 plantas, 2-4 dormitorios, sin garaje incorporado

Protección primaria

Un detector S o C en la parte alta de la escalera.

Un detector S o C situado a menos de 1 metro (3 pies) de la abertura de la escalera, en la parte baja.

Protección secundaria

Un detector S o C situado entre techo y cubierta.

Casa de 3 plantas en la ciudad, 2-4 dormitorios, con garaje incorporado

Protección primaria

Un detector S o C en la parte superior de cada nivel de escalera.

Un detector S o C situado a menos de 1 metro (3 pies) de la escalera en la parte baja.

Un detector H en el garaje.

Protección secundaria

Un detector S o C situado entre el techo y la cubierta.

Casa de tres plantas con sótano, 5-8 dormitorios, sin garaje; salida de emergencia externa desde los pisos segundo y primero

Protección primaria

Un detector S o C en la parte superior de la escalera del sótano.

Un detector H en la sala de calderas.

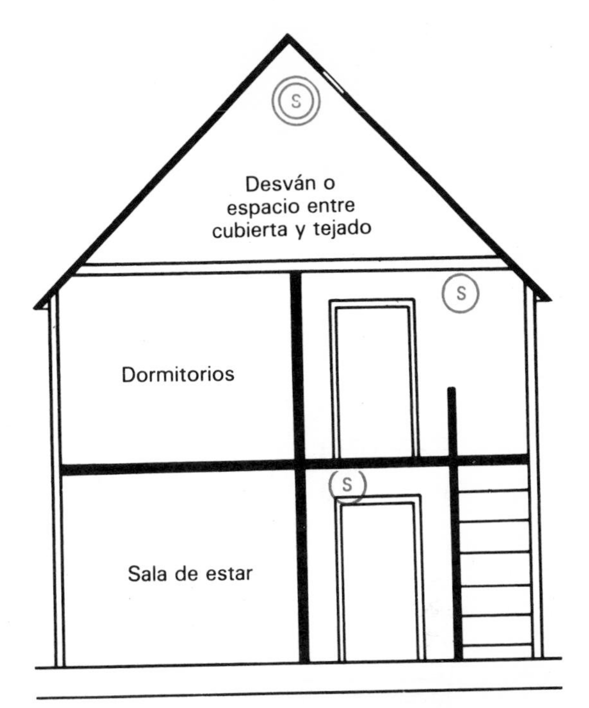

Protección contra incendios para una pequeña casa parcial o totalmente separada de otras, que consta de dos o tres plantas.

Un pulsador de alarma en el sótano.

Un detector S o C en la planta baja, junto a las escalera. Un pulsador de alarma.

Un detector S o C y un pulsador de alarma en la primera y segunda planta. Pulsador de alarma en las rutas de escape. Timbre de alarma en cada planta.

Protección secundaria

Un detector S o C situado entre el techo y la cubierta.

Indicador de alarma de incendios.

Construcciones de una planta (bungalows y chalets)

Su ventaja reside en que, probablemente, disponen de varias salidas, por lo que el

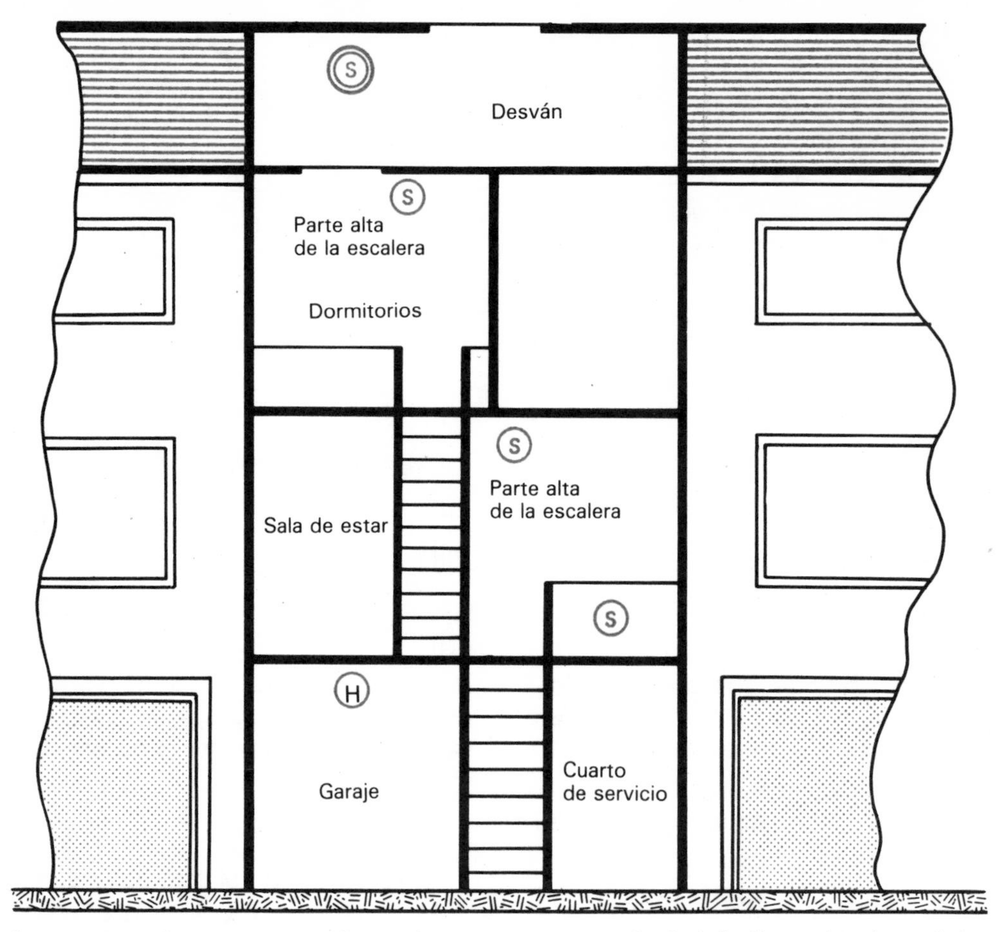

Protección contra incendios para una casa de tres plantas con terraza y rodeada de jardín, provista de garaje incorporado.

riesgo de pérdida de vidas humanas es menor que en los otros tipos de construcción. Sin embargo, el riesgo de incendio es idéntico.

Según las estimaciones de las compañías aseguradoras, que cuentan con expertos para determinar los riesgos, en las viviendas familiares dicho riesgo es relativamente bajo. Pero si se genera un incendio, el riesgo de pérdida de vidas es muy serio, en especial si el siniestro se produce durante la noche. Por lo tanto es tan importante establecer una ruta de salida en un bungalow al igual que en otras viviendas; en la página 87 se sugiere la instalación de detectores para que den la alarma de incendio en caso de que haya gente durmiendo.

Pisos y duplex

Las familias que viven en pisos acostumbran a ocupar una sola planta, aunque también hay viviendas de tipo dúplex. Las consideraciones a tener en cuenta para protegerse del fuego son similares a las de otras viviendas, aunque en este caso no hay que contar con el espacio entre techo y cubierta; sin embargo, existen algunas diferencias importantes.

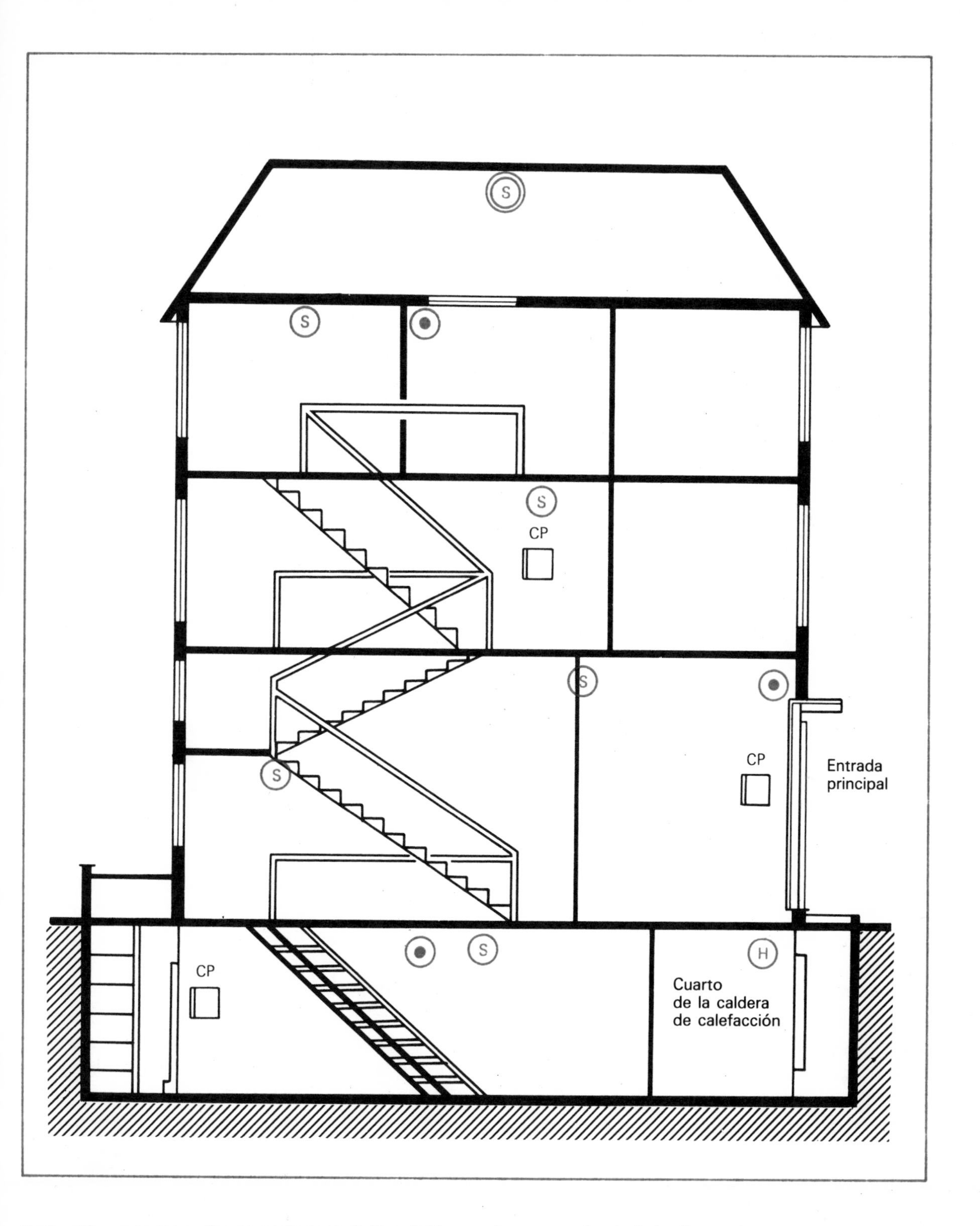

Protección contra incendios para una casa de tres plantas con terraza y rodeada de jardín, provista de garaje incorporado.

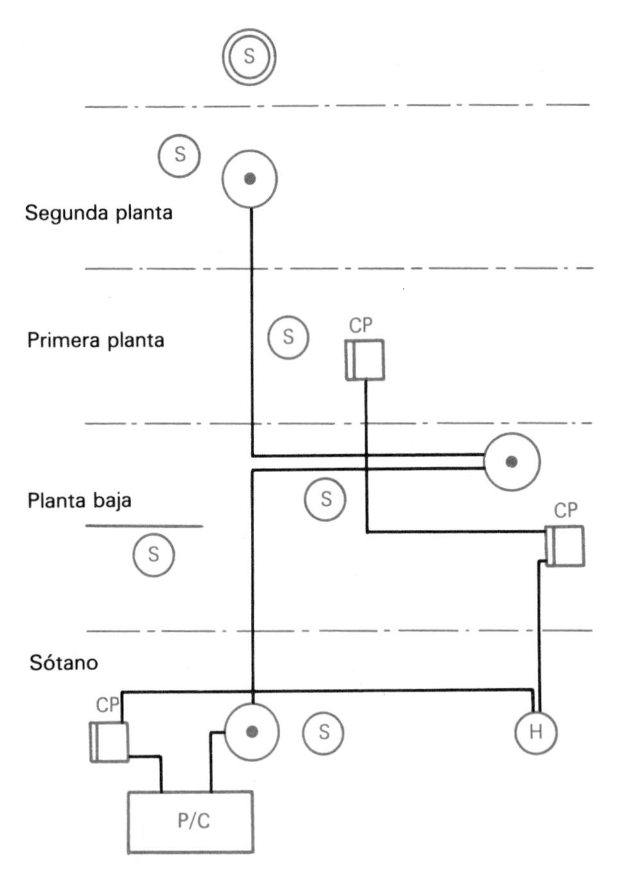

Esquema del sistema previsto para la vivienda presentada en la página 85; los detectores de humo son todos independientes.

Cualquier ocupante de una vivienda situada en un edificio de varias plantas está sujeto en gran parte al comportamiento de la gente que habita el mismo edificio, tanto en lo que se refiere a la comodidad como a la seguridad. Un vecino ruidoso constituye una molestia para los demás. La falta de cuidado de uno constituye un riesgo para el resto.

Los edificios modernos cuentan con alarmas de accionamiento manual para el caso de incendio, que se hallan al alcance de los usuarios desde cualquier planta. Se está tratando recientemente de adoptar las mismas medidas en los viejos edificios que permitan su instalación. Hay algunos que ya hace años que las tienen, pero aún existen muchos viejos bloques de viviendas que no disponen de alarmas de incendio. También hay edificios que disponen de detectores de incendio para mayor seguridad de sus ocupantes.

Independientemente de las medidas generales, los ocupantes de dichos bloques de pisos deben tomar en consideración sus propias precauciones internas con objeto de minimizar los riesgos por accidentes en la cocina o por causa de estufas y aparatos eléctricos. Las medidas a tomar son idénticas a las adoptadas en *bungalows* de una planta y en las viviendas dúplex.

Pocas son las medidas que quienes viven en edificios de pisos que no disponen de un sistema de alarma básico pueden adoptar para detectar el humo o el fuego que se dirige a su piso desde otros lugares del edificio. En los accesos a los pisos suelen existir escaleras o pasillos suceptibles de ser cerrados. Parece poco probable poder instalar un detector de humo en una zona de uso público, por lo que la única posibilidad será colocar uno en la misma entrada del piso.

Circuitos de alarma de incendio

Los sistemas más sencillos de alarma de incendio trabajan mediante un circuito abierto alimentado por batería de pilas secas, puesto que hay que prever la posibilidad de falta de corriente en el momento de producirse el fuego. El esquema de la página 32 presenta un sencillo circuito básico. Cualquier componente añadido a dicho circuito sólo debe utilizarse si se demuestra que mejora el rendimiento o es técnicamente indispensable.

Damos por supuesto que se utiliza una alarma para cuyo accionamiento hay que romper un cristal protector, con lo cual el botón se eleva y establece el contacto que

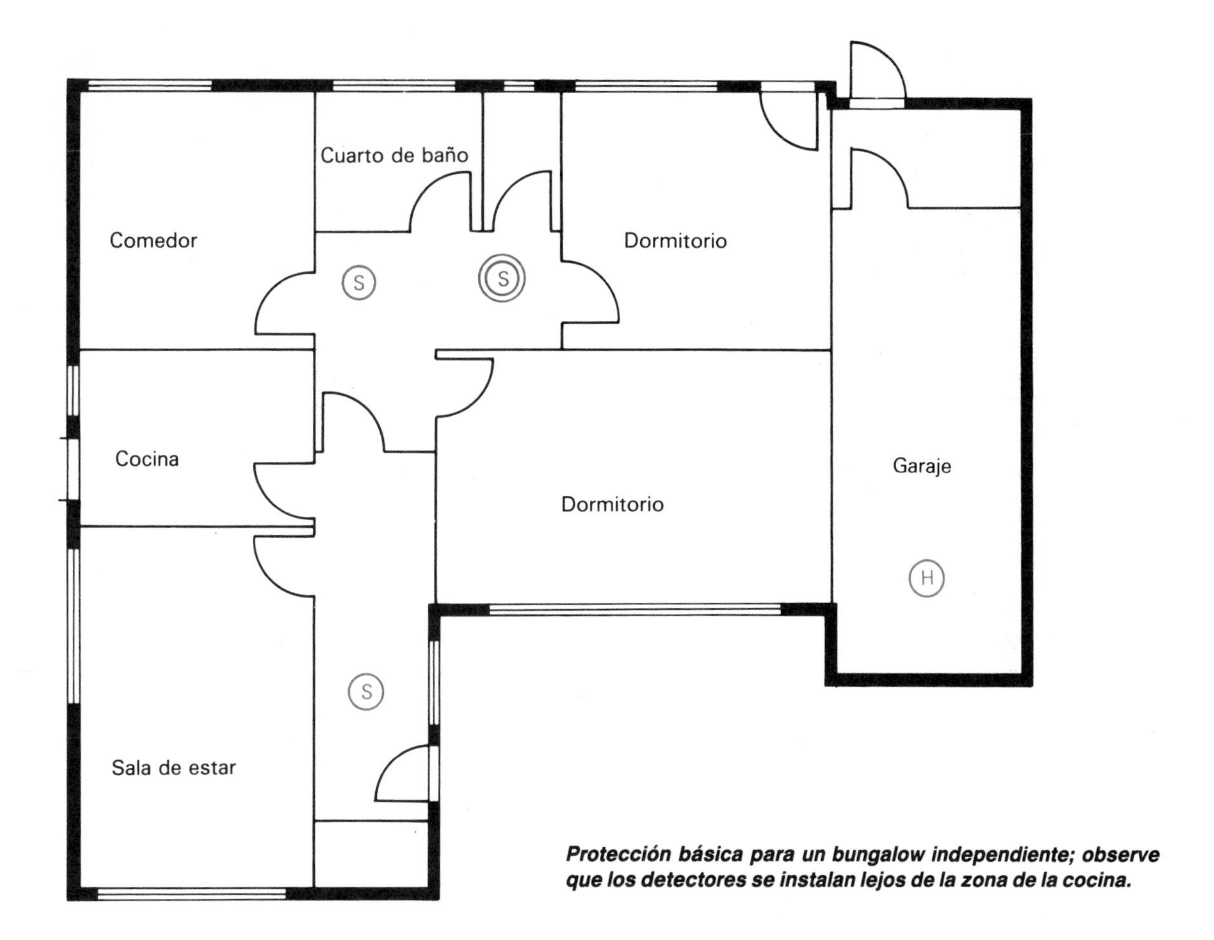

Protección básica para un bungalow independiente; observe que los detectores se instalan lejos de la zona de la cocina.

cierra el circuito. Empleando el circuito básico, es preciso colocar el cristal u otro material provisional sobre el botón, o bien desconectar las baterías, para que la alarma cese. Para facilitar la desconexión de las baterías se suele instalar un interruptor adicional de llave, siendo necesario que esté provisto de un piloto indicador de que el sistema de alarma está fuera de servicio. En lugar del piloto luminoso, también puede instalarse el interruptor de llave en una caja cuya tapa no pueda cerrarse mientras está desconectado el sistema. Nunca hay que dejar la llave en el interruptor para impedir que alguien pueda desconectarlo.

En el caso de que se utilice más de un avisador acústico, particularmente con puntos o pulsadores de alarma, se recomienda incluir un relé, para que la corriente que acciona los avisadores no sea la procedente de los puntos de alarma, que quizás no tenga la adecuada capacidad. Por ejemplo, dos timbres accionados por una pila seca de 6 voltios precisa de 200 a 250 miliamperios. Esta es una carga relativamente grande si la comparamos con los 40 o 50 miliamperios necesarios para la bobina del relé. Es muy recomendable mantener la carga eléctrica en los puntos de alarma a un nivel mínimo, con lo cual se evita el riesgo de alarma por algún defecto de instalación. La carga de la corriente disminuye cuando aumenta la tensión, pero aunque se empleen baterías de mayor tensión sigue siendo recomendable usar un relé cuando hay que poner en marcha más de un avisador acústico

Iluminación de emergencia

Es evidente que la falta de luz, junto con el humo generado en un incendio, puede incrementar notablemente el pánico y reducir las posibilidades de salida. Los motivos del incendio pueden estar relacionados con el suministro de corriente, faltando energía desde los primeros momentos del inicio del fuego.

Los suministros de energía pueden haberse estropeado por causas diversas que nada tengan que ver con el incendio, naturalmente. Hay accidentes que abarcan amplias zonas dejándolas varias horas sin electricidad. También es posible que la energía se haya interrumpido por motivos industriales y se permanezca mucho tiempo sin suministro. Por lo tanto, las unidades automáticas de alumbrado de emergencia (AELU),* forman parte de las medidas necesarias en caso de incendio, si bien tienen aún más utilidades.

En los edificios de Gran Bretaña, el alumbrado de emergencia es requisito obligatorio a fin de facilitar el escape, en especial cuando los edificios son de uso público. En las viviendas no existe ninguna norma al respecto (salvo en los bloques residenciales), al igual que en las pequeñas tiendas u oficinas que no se mencionan en la ley. Sin embargo, en determinadas viviendas se precisa más alumbrado de emergencia que el que se consigue con una linterna o lámpara manual. Las casas de tres o más plantas, sobre todo si tienen escaleras difíciles conviene que dispongan de iluminación de emergencia fija, en vez de usar linternas de mano.

* N. del T.– AELU es la abreviatura de Automatic Emergency Lighting equipment Units.

Cuando hay alguna persona enferma que requiere atención constante, puede ser necesario asegurar algún sistema de alumbrado que no falle. Lo mismo puede decirse cuando en la casa hay gente mayor o minusválida. Todas estas necesidades pueden cubrirse con el empleo de las AELU.

Si el suministro eléctrico falla, las tiendas pequeñas, talleres y garajes, así como las oficinas que efectúan cobros y pagos se hallan expuestas al riesgo de robos. El incremento de delitos aumenta por encima de lo previsto. Durante los apagones, únicamente los que disponen de equipos de AELU pueden seguir trabajando con entera normalidad.

Al existir falta de suministro eléctrico, sobre todo cuando persiste varias horas, muchos comerciantes para seguir manteniendo abierto su negocio utilizan velas o lámparas de gas, lo cual aumenta notablemente el riesgo de incendio.

Tipos de equipos AELU

El tipo de equipo instalado en un edificio público depende de un sistema central de baterías muy costoso y una buena red de cables por todo el edificio. Estos sistemas están diseñados para mantener el alumbrado durante varias horas cuando falla el suministro normal de corriente.

Los tipos adecuados para el hogar, tiendas pequeñas y despachos, pueden ser instalados por un aficionado al *bricolage*. Suele tratarse de una sóla lámpara contenida en una unidad de alumbrado. Es muy sencillo colgar la unidad del techo o una pared y conectarla al enchufe próximo.

La mayoría de modelos consisten en una base de plástico moldeado, de tipo policarbonato opaco, con una tapa difusora de la luz encima, también de policarbonato, con un acabado blanco ópalo. El plástico utilizado es anticombustible y por tanto no constituye ningún peligro de incendio.

Dentro de la unidad, sobre una placa metálica, hay una bombilla o un pequeño fluorescente. También hay un pequeño panel de circuito con una regleta de terminales con los cuales las conexiones eléctricas son sencillas como las de una lámpara de sobremesa, y dos o cuatro baterías recargables.

Existen dos sistemas de trabajo. El más usual consiste en tener la AELU en la condición de reposo, para que se conecte automáticamente tan pronto como falle la red de distribución de energía eléctrica.

El otro sistema consiste en tener la AELU constantemente encendida, sobre todo si se trata de un lugar donde se necesita luz siempre, dejando que cuando falle la red entren en servicio las baterías, para que jamás se produzca la falta de alumbrado en el lugar.

Instalación de la AELU

Es muy sencillo instalar una de estas unidades. La mayoría de tipos destinados al uso en el interior llevan tapas difusoras sujetas a la base con una pinza de muelle. Extrayendo dicha tapa se verá que la placa que soporta la bombilla o tubo fluorescente está fijada con tornillos a la base.

Sacando dichos tornillos podremos alzar la placa y observaremos un circuito impreso en su parte inferior, con las baterías recargables y la regleta de terminales. El circuito impreso comprende una sección encargada de cargar automáticamente las baterías mientras existe el suministro normal de corriente.

La base de policarbonato es fácil de cortar y taladrar para el paso del cable de conexión a la red.

La mayoría de unidades requieren un par de tornillos para su fijación al techo o pared. Caso de que se fije en el techo, los tornillos han de ser bastante largos para que atraviesen el material y encuentren un buen asiento, del mismo modo que se hace con las lámparas normales, aun cuando éstas pesen más. La fijación en la pared se hará usando tacos y tornillos, según es habitual.

Las unidades de alumbrado de emergencia pueden conectarse en un circuito exclusivo provisto de fusibles, pero no hay razón alguna para que no puedan incorporarse a cualquiera de los circuitos eléctricos destinados a usos domésticos, que ya existen. Para estar seguros de que la unidad siempre esté conectada, el uso de clavija y enchufe es bastante aceptable. Si estuviera desenchufada, la AELU se iluminaría advirtiendo que es necesario conectarla.

Muchas unidades AELU llevan un piloto de neón rojo para indicar que están conectadas a la corriente, pero es fácil que pase desapercibido a no ser que se esté verificando el funcionamiento del sistema, por lo que conviene comprobar periódicamente la fiabilidad del sistema, apagando el interruptor general de entrada de corriente, y viendo si la luz de emergencia se enciende.

Se presenta un problema cuando la AELU se deja conectada en la posición de reposo. Al salir durante un fin de semana o para ausencias de varios días se acostumbra a desconectar la red por lo que se encenderá el alumbrado de emergencia y es posible que lleguen a agotarse las baterías. Sin embargo, mucha gente deja conectada la red para que funcione el refrigerador; en este caso, basta dejar la AELU encendida.

En el caso de que se produzca una interrupción temporal de la corriente, las unidades de emergencia se encenderán o apagarán según sea el suministro y, automáticamente, irán recargando sus baterías. Con las baterías bien cargadas, el alumbrado de emergencia suele tener unas tres horas de duración. Para recargar totalmente las baterías se requieren unas catorce horas.

También existen unidades de emergencia

para uso en el exterior. La diferencia con las usadas en el interior reside en que el cuerpo de las mismas es metálico y su tapa difusora lleva una junta estanca, estando sujeta con tornillos en lugar de la pinza de muelle.

Como en todos los aparatos eléctricos, es importante que si hay un terminal de tierra en la regleta de conexiones, se utilice cable trifilar para su instalación. Si se instala un circuito independiente desde la caja de fusibles hasta las unidades AELU, la conexión a la red debe hacerla un electricista profesional autorizado.

Unidades interiores normales

(1) Circular, de 180 mm (7 pulgadas) de diámetro por 100 mm (4 pulgadas) de grosor.
Base de policarbonato ópalo de color gris oscuro.
Tapa de policarbonato traslúcido blanco ópalo.
Bombilla de tungsteno de 3,6 vatios, con gas criptón.

(2) Rectangular, de 250 mm (10 pulgadas) de longitud por 125 mm (5 pulgadas) de ancho y 115 mm (4,5 pulgadas) de grueso.
Tubo fluorescente de 6 vatios y 230 mm (9 pulgadas) de longitud.
Base y tapa de los mismos materiales que la unidad circular.

Unidades exteriores normales

(3) Impermeable, también adecuada para interiores húmedos.
Rectangular, de 390 mm (15 1/2 pulgadas) de longitud por 115 mm (4 1/2 pulgadas) de ancho y 90 mm (3 1/2 pulgadas) de grueso.
Tubo fluorescente de 8 vatios y 300 mm (12 pulgadas) de longitud.
Base de metal fundido con tapa de policarbonato ópalo blanco, atornillada a la base y provista de una junta impermeable.

Todas las unidades tienen igual duración si no funciona el suministro de corriente por la red. Por los datos sobre la bombilla y fluorescente que se indican anteriormente, es evidente que las luces de emergencia proporcionan menor iluminación que las lámparas de uso corriente. No obstante, la unidad circular proporciona la suficiente iluminación de las partes altas de las escaleras y otros lugares de escape con bastante claridad. Las unidades rectangulares provistas de fluorescentes ofrecen una iluminación bastante mejor. Éstas son muy convenientes para avisos sobre la dirección a seguir o para iluminar áreas de cajas registradoras con suficiente seguridad.

Capítulo 10
Comportamiento en caso de incendio

Si se inicia un incendio, lo primero que debe hacerse es: (1) procurar la seguridad de las personas que habitan en la vivienda; (2) llamar a los bomberos.

Esto parece algo obvio cuando se escribe, pero la experiencia demuestra que no siempre se llevan a cabo estas acciones esenciales para preservar la vida, por lo menos con la prontitud que sería de desear.

Con frecuencia los intentos fallidos para apagar el fuego ocupan toda la atención de la persona responsable. Cuando no se consigue extinguir el fuego, se produce un cierto pánico que impide tomar las medidas fundamentales de seguridad.

Llamada a los bomberos

Cualquier retraso en la evacuación de personas y en la llamada a los bomberos incrementa el riesgo de daños personales e incluso de pérdidas de vidas. Los sistemas de alarma y detección de incendios persiguen precisamente la seguridad de las personas. El pronto aviso dado por un detector de humo proporciona mayor tiempo para escapar, y solamente después de la evacuación del edificio hay que ocuparse de la extinción del incendio.

No es factible llamar a los bomberos por el mismo teléfono existente en la vivienda incendiada. Como norma general, y desde el punto de vista de la necesaria seguridad, jamás hay que volver a penetrar en un edificio en llamas con objeto de usar el teléfono. Si no hay cabinas telefónicas cerca, utilice el teléfono de un vecino.

Resulta muy penoso permanecer fuera sin hacer nada mientras se está quemando la propia vivienda, pero si su familia está a salvo podrá ser muy útil a los bomberos facilitándoles valiosa información. Hay una pérdida de tiempo y peligran otras vidas si, a la llegada de los bomberos, tienen que buscar y rescatar a algún ocupante, posiblemente inconsciente, dentro de la casa en llamas. Esto es algo nefasto pero muy posible.

Si, como buen cabeza de familia, ha tomado medidas para la protección de su familia instalando aparatos de alarma contra incendios, lo habrá hecho para que todos puedan salvarse. Sería una necedad arriesgar su vida cuando ya se encuentra en un lugar seguro. Cualquier acción que se considere apta para apagar el fuego, sólo debe ejercerse si se puede emprender desde el exterior de la casa, como pueda ser el cierre de puertas y ventanas que no implique ningún tipo de riesgo.

Por otra parte, si el fuego se descubre en sus inicios y no existe riesgo alguno para nadie, se puede intentar apagarlo; véase el capítulo 11.

Un pequeño fuego puede parecer fácil de dominar y es posible que así sea realmente. Pero hay que recordar que incluso los fuegos más pequeños pueden acrecentarse y extenderse súbitamente, a tal velocidad que pueden horrorizar a cualquiera y ser sumamente peligrosos. No son solamente las llamas las que ofrecen peligro; también el humo. Los gases calientes venenosos generados por la combustión constituyen uno de los mayores peligros, sobre todo cuando arden determinados materiales, y existe el riesgo que una persona que intente apagar el fuego perezca a causa del humo. La desorientación o la inconsciencia pueden convertir al salvador en víctima. Por dicho motivo, cuando se procede a apagar un incendio es preciso que intervengan, como mínimo, dos personas que se vean entre sí.

Independientemente del éxito conseguido en combatir el fuego, siempre hay que avisar a los bomberos. Todavía existe el prejuicio por parte de algunas personas de que si se llama a los bomberos para apagar un fuego recibiremos una factura de las autoridades locales. Esto no es verdad. Ninguna llamada real, por pequeño que sea el fuego, ni tampoco ninguna llamada errónea que sea razonable, ha de representar cargo para quien la haya efectuado.

Con dos personas no existe problema alguna, pues mientras una de ellas llama a los bomberos por teléfono, la otra puede tomar las medidas oportunas cerrando puertas y ventanas, siempre y cuando no resulte demasiado arriesgado. Cuando actúa una persona sola, también puede sofocar un fuego que se inicia, dejando aparte los riesgos personales, siempre que tome las medidas correctas. En este caso es preciso tener muy en cuenta una regla fundamental de seguridad: debe estar seguro de que dispone de una salida. Incluso los bomberos más expertos necesitan disponer de escape en caso de que el fuego no sea dominado.

Fuegos en la cocina

El fuego con que tiene mayor probabilidad de encontrarse una persona es el que se produce en la cocina, y concretamente al usar una sartén u otro utensilio que sirva para freír. El aceite empleado en la sartén alcanza una temperatura dentro de la cual puede usarse con seguridad siempre que no salpique o se vierta sobre la llama del fogón de gas o el hornillo eléctrico. Cuando el aceite se emplea más de una vez, la temperatura de ignición desciende.

El punto de ignición de un producto es la temperatura a la cual inicia su combustión sin necesidad de aplicarle una llama. Todos los aceites de cocina tienen una temperatura determinada a la que se produce su ignición. Las pruebas hechas en laboratorio indican que los aceites de mejor calidad poseen un punto de ignición más alto que los aceites de inferior calidad, siempre y cuando sea la primera vez que se utilizan. En los aceites usados, el punto de ignición desciende probablemente en función del alimento que ha sido frito en él, la frecuencia de empleo y la temperatura que haya alcanzado.

Cuando se incendia el contenido de la sartén, normalmente hay más llamas que humo al nivel de trabajo. Pasan algunos segundos antes de que el humo llegue al techo. Es sumamente importante aprovechar los primeros segundos para combatir el fuego, siendo necesario actuar antes de que aparezca el humo y aumente el riesgo.

Capítulo 11
Métodos para la extinción del fuego

Para entender la eficacia de los diferentes métodos de extinción hay que conocer el fundamento del fuego.

Para que el fuego pueda iniciarse y desarrollarse es preciso que existan tres elementos: combustible, oxígeno y calor. Tradicionalmente esto se explica usando un triángulo, cada lado del cual representa a uno de dichos elementos.

Combustible debe ser, naturalmente, el material que se quema.

Oxígeno lo tenemos en la atmósfera.

Calor es el aportado por el aumento de temperatura, no siendo imprescindible la presencia de una llama o chispa.

Por tanto, si disponemos de un material combustible que está en contacto con el aire, basta calentarlo para que se inicie su combustión. (En esta explicación se omiten aquellos materiales que no están en contacto con la atmósfera y los que reaccionan químicamente.) Pero del mismo modo, dado que para que se produzca combustión han de estar presentes los tres elementos citados, basta la eliminación de uno de ellos para que el fuego no se inicie o se apague. Todos los métodos de extinción de incendios están basados en este principio.

Empleo de agua

El elemento a eliminar de mayor importancia es el calor. En todos los materiales comunes (salvo los combustibles líquidos y grasas), como la madera, textiles naturales, materias vegetales secas y los productos fabricados con dichos materiales, es posible apagar el fuego con agua. Conviene reducir el calor de estos materiales, puesto que dicho calor hace que se generen gases combustibles. El agua no sólo reduce el calor, sino que al cubrir las materias combustibles con una película acuosa, impide que entren en contacto con el oxígeno.

Sofocación del fuego

De los tres elementos fundamentales del fuego, el más difícil de eliminar es el combustible, que constituye la base del fuego. Por tanto, si por algún motivo no resulta

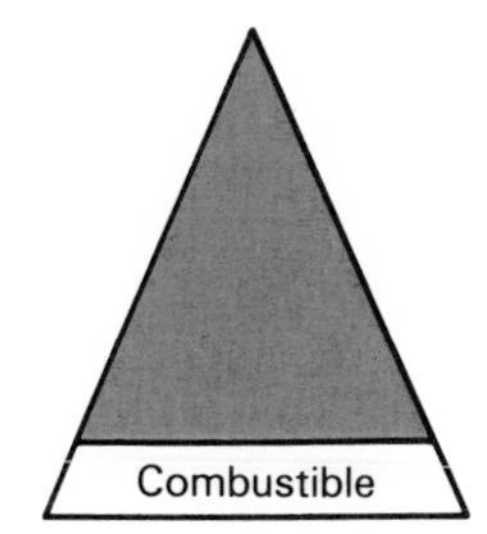

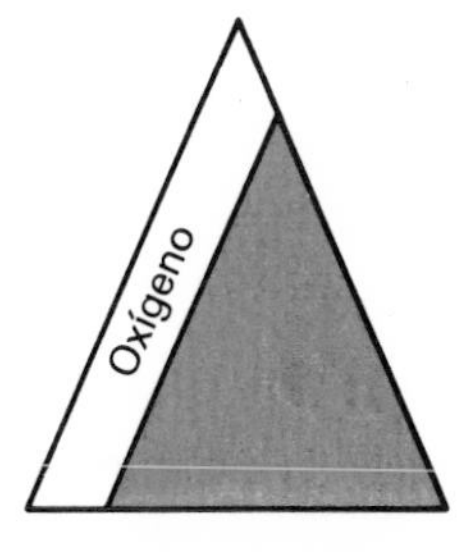

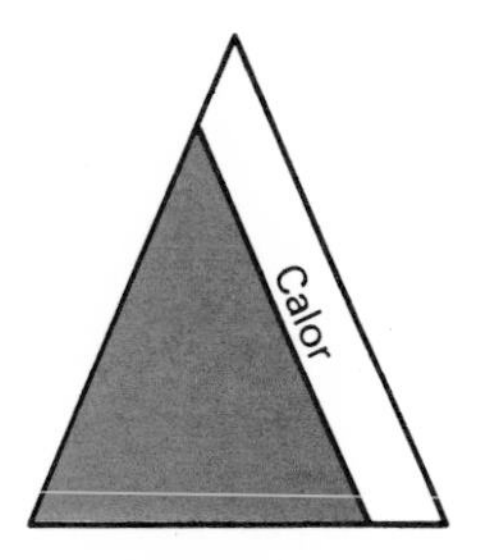

Triángulo del fuego: sólo se produce fuego cuando concurren los tres elementos.

posible usar agua (por ejemplo, a causa de que el fuego se ha generado cerca de aparatos eléctricos), la medida más adecuada a tomar es la eliminación del oxígeno. Esto se consigue cubriendo el fuego, a fin de que el oxígeno no pueda llegar a él.

Para el uso en la cocina se pueden adquirir tejidos para sofocar el fuego, también conocidos como mantas antifuego, que se venden envueltas de modo adecuado para ser colgadas en la pared. En caso de necesidad basta tirar de las anillas que salen del paquete para tener la manta en posición adecuada para cubrir el fuego. Aunque están preparadas para su empleo en los fuegos de la cocina, son sumamente útiles en cualquier tipo de fuego que pueda ser cubierto con ellas.

Otro modelo de empaquetado para una manta antifuego.

Una manta antifuego, para sofocar los incendios de la cocina, puede estar colocada dentro de un tubo para facilitar su montaje en la pared (gentileza de Chubb).

Para emplear una manta antifuego ha de extenderse ante el cuerpo y mover la parte superior de la misma hasta cubrir el fuego. No debe colocarse sobre el fuego de modo similar a como se pone un mantel sobre la

Uso de una manta antifuego para apagar un incendio.

mesa. Si se hiciera de este modo, las llamas se dirigirán hacia usted. Una vez la manta sobre el fuego, hay que apretar su contorno *alrededor* del fuego, jamás sobre él. Tan pronto se agote el oxígeno existente bajo la manta, el fuego se apagará.

Cuando la acción se efectúa para apagar el fuego de una paella o el contenido de una sartén, hay que procurar desconectar el fogón lo antes posible y dejarla cubierta durante unos treinta minutos, como mínimo. Si la sartén se destapara antes, el oxígeno podría volver a avivar el fuego. Con otros materiales quizás no sea necesario esperar tanto tiempo a que se enfríen antes de sacar la manta.

Extintores químicos

Hay fuegos que no pueden ser apagados con agua por el riesgo que ello representa. Los aparatos eléctricos, la gasolina y petróleo constituyen ejemplos de ello. En tales casos se emplean extintores de tipo químico.

Resulta evidente el riesgo que comporta echar agua sobre un fuego de origen eléctrico, y jamás debe hacerse sino se está bien seguro de que la corriente está desconectada. Existen muchos problemas relacionados con el secado de aparatos eléctricos y los cables para su instalación.

Para apagar fuegos eléctricos se utilizan extintores de CO_2 (anhídrido carbónico) o una mezcla de Halon, aunque la corriente esté conectada, pues ni el CO_2 ni el Halon son buenos conductores. Los aparatos afectados por el fuego han de desconectarse y revisarlos cuidadosamente antes de volver a conectar la corriente. Ambos tipos de extintores son adecuados para la cocina, puesto que es el lugar de la casa donde mayor riesgo de fuegos eléctricos y grasos existe.

Casi todo el mundo sabe que *jamás* hay que echar agua a un fuego de combustible líquido o graso, pero muy pocos saben por qué no hay que hacerlo. Arrojando un vaso de agua en una sartén que contiene aceite hirviendo se produce algo espantoso. Se genera una violenta bola de fuego que va de un lado a otro del recinto y puede quemar a los que allí se encuentran.

Otra cosa importante que hay que recordar es que nunca hay que coger una sartén caliente para sacarla fuera. Podrían producirse graves quemaduras en las manos, lo cual

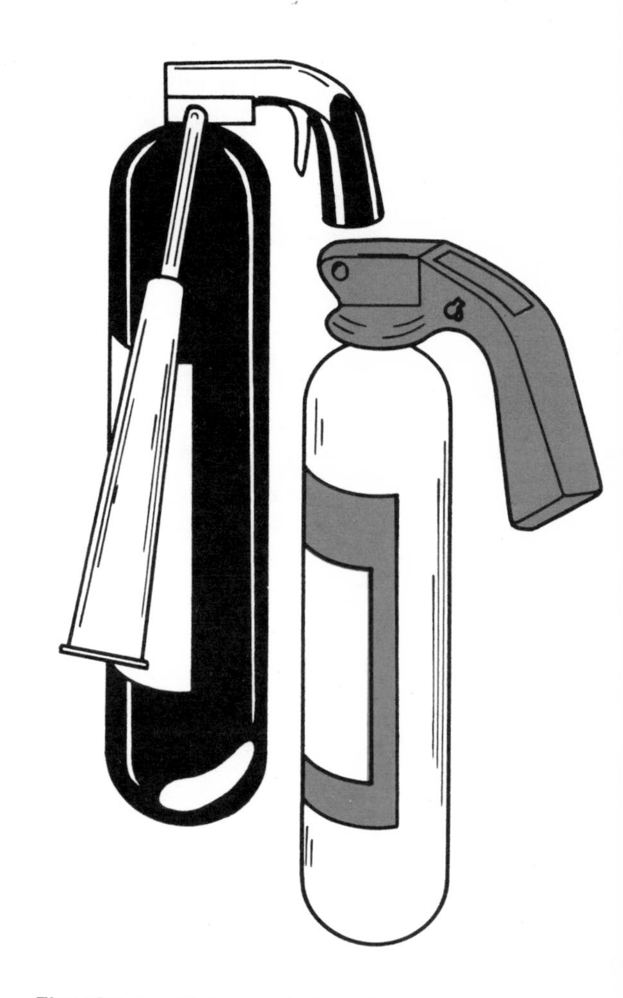

Ejemplos de extintores químicos. Derecha: Normalmente los extintores de Halon son blancos; los modelos grandes son verdes. Izquierda: los extintores de CO_2 tienen un cuerpo metálico de gran robustez, y suelen ser de color negro; la pieza cónica ha de dirigirse hacia el fuego antes de apretar el gatillo.

seguramente causaría la caída de la sartén con las consiguientes quemaduras del aceite hirviendo a todos los que se hallaran cerca.

Si tenemos un extintor a mano nada impide usarlo, lanzando un chorro que apagará inmediatamente las llamas, aunque no de forma permanente. El CO_2 que sale del extintor desplaza el aire y ahoga el fuego por falta de oxígeno. Los extintores de Halon actúan químicamente sobre el fuego mediante un gas halógeno. Ambos pueden ser rápidamente dispersados por el aceite o grasa inflamados y sobrecalentados.

Para el uso correcto de estos extintores hay que dirigir un breve chorro hacia la parte frontal de la sartén en llamas, colocándose a unos dos metros de distancia (seis pies) o a mayor distancia si el espacio disponible lo permite. De esta forma se comprueba la correcta orientación de la boquilla hacia el fuego.

Después de este primer chorro de prueba se efectuará otro de más duración, al tiempo que el extintor se mueve a uno y otro lado y hacia adelante y atrás del fuego, para que el producto químico lo cubra totalmente. En cualquier caso sólo hay que aplicar chorros intermitentes, evitando efectuar uno tan duradero que agote todo el contenido del extintor.

Lo principal es eliminar lo antes posible la fuente de calor. Por desgracia hay muchas cocinas que llevan sus mandos en el panel posterior lo cual obliga, para poder cortar el suministro de energía, a pasar la mano por las llamas; por tanto, hay que apagar el interruptor general o la llave de paso del gas.

Cuando una persona está sola, forzosamente su acción será limitada. El empleo del extintor permite muchas veces sofocar el fuego con la misma tapa de la sartén, una tabla de mayor tamaño que ésta o dos toallas o servilletas cruzadas una sobre la otra.

En cualquier caso sólo hay que acometer el fuego si la persona dispone de una ruta de escape y no siente pánico. En caso contrario, el mejor consejo que se puede dar es que cierre la puerta y llame a los bomberos. Conviene llamarlos siempre tanto si cree que el fuego está dominado como si no lo está.

¿Cuál puede ser el efecto de dejar un fuego de cocina para los bomberos? Por lo general la cocina no tiene materias combustibles encima, y el fuego puede arder muchos minutos sin extenderse a otros lugares. Se producirá una espantosa suciedad, con manchas de humo negro y acumulaciones de grasa por doquier. La cocina puede haberse estropeado y necesitar reparación y su limpieza puede llegar a desesperar al ama de casa. Pero es preferible desesperarse por el trabajo a realizar que hacer que otros lloren por la pérdida de una heroína o héroe bombero.

Cuando la extinción del fuego parezca segura y razonable, el uso de extintores químicos no contaminará los alimentos de la cocina. Los dos tipos de extintor antes descritos tienen un bajo nivel tóxico que desaparece completamente. El cuarto donde se hayan utilizado debe ser bien ventilado para estar seguro de que no quedan restos de producto. Evidentemente los productos de la combustión resultan mucho más tóxicos que los procedentes de los extintores y precisan mayor ventilación.

Extintores en el garaje

Los extintores de Halon son sumamente útiles en el garaje y en el automóvil. Son muy eficaces para combatir el fuego de gasolina o aceite, incluso en el exterior.

Los de CO_2 no son tan eficaces en el exterior, puesto que resultan difíciles de mantener dentro de la zona del fuego. El Halon no es realmente un gas, pero está clasificado como gas líquido. Se emplea como líquido volátil y resulta más persistente que un gas.

Dado que se necesita muy poca cantidad

de Halon para apagar un fuego, si lo comparamos con el CO_2 (la proporción es del orden de 1 a 7 u 8), los extintores de Halon son mucho más pequeños y ligeros que aquellos que contienen CO_2. Esta ventaja los hace muy adecuados para el transporte en vehículos, ya que sirven para todos los tipos de incendio que pueden originarse en automóviles. También vale la pena tener un extintor de esta clase en el muro del garaje, junto a la misma puerta de entrada.

Algunos de los extintores que venden las tiendas y almacenes contienen muy poco producto químico para ser realmente útiles. El tamaño más adecuado no debe contener menos de 0,7 litros de líquido.

Otro de los extintores que podemos encontrar en el mercado lleva polvo en su interior. Estos productos se emplean en las grandes instalaciones industriales para combatir los incendios de aceites y determinados metales. Los tamaños pequeños no suelen ser aconsejables, puesto que la humedad los descarga sin necesidad de apretar su gatillo. Una vez pulsado el gatillo, todo el contenido del extintor se vacía en un tiempo de cuatro o cinco segundos. Se requiere una cierta práctica para que el polvo cubra el punto necesario; la suciedad producida por el polvo puede ser tan difícil de arreglar como los desastres causados por el fuego mismo.

Fuegos producidos por estufas de petróleo

Los extintores mencionados también resultan eficaces para apagar fuegos generados en estufas de petróleo. Aplicando chorros breves, el líquido vaporizado se mezcla con el combustible que alimenta a la estufa y apaga la llama a la vez que enfría la zona. Tan pronto como sea posible hay que cubrir la estufa con una manta antifuego y sacarla al exterior. Una vez fuera se le puede echar un cubo de agua y, es aconsejable, no volver a usar la estufa.

Cuando no se dispone de extintor, lo mejor es sofocar el fuego. *Jamás* hay que usar agua mientras haya fuego en la estufa, tan sólo se emplea al final para completar el proceso de enfriamiento.

Clasificación de los fuegos

Hay una norma británica que clasifica los fuegos e indica el método de extinción más adecuado en cada caso. De cuatro clasificaciones, dos tienen aplicación a los incendios domésticos:

clase A fuegos de combustibles sólidos, por lo general orgánicos, en los que se producen ascuas durante su combustión.

clase B fuegos de combustibles líquidos o sólidos licuables.

La clase E no está oficialmente reconocida, pero se refiere a fuegos que se producen en aparatos o instalaciones eléctricas por los que circula la corriente.

Los extintores deben llevar una marca que indique la clase de fuego para la que pueden utilizarse, pero como norma general hay que saber:

Para fuegos de la clase A, hay que usar agua.

Para fuegos de la clase B, hay que aplicar mantas antifuego o usar extintores de tipo químico.

Para fuegos de la clase E, solamente deben usarse extintores de CO_2, Halon o polvo.

Por último, *no demore la llamada a los bomberos* para que combatan el fuego, aunque parezca demasiado pequeño para resultar peligroso. Quizá no lo sea.

Capítulo 12 Medidas de seguridad contra el fuego

Fumadores

Tenga siempre a mano ceniceros adecuados, que no puedan volcar y lo bastante grandes para que los cigarrillos quepan en ellos y no pueda caer ceniza fuera. Es aconsejable usar ceniceros con tapa en vez de los tipos abiertos.

Cuando vacíe los ceniceros, lo cual debe hacerse siempre antes de ir a la cama, debe usar un contenedor que no sea combustible. Y, naturalmente, *no fume en la cama.*

Empleo de la electricidad

La mayor parte de utensilios eléctricos usados en Gran Bretaña,* van provistos de interruptores que controlan un solo polo. Esto hace que el conductor neutro siempre quede conectado a la red de suministro de electricidad. Cualquier defecto del aparato o del interruptor puede restablecer el circuito o producir un cortocircuito.

Por tanto, hay que tomar la precaución de desenchufar todos los aparatos que no se utilicen, antes de irse a la cama. De modo especial hay que desconectar y desenchufar la televisión, por lo menos diez minutos antes de retirarse, para darle tiempo a enfriarse mientras se permanece en la habitación. Un aparato de televisión acumula gran cantidad de calor.

Asegúrese de que los calefactores por convección y los calentadores que funcionan por la noche no estén cubiertos con ropas u otros tejidos. Jamás debe usar estufas portátiles con enchufes múltiples.

No sustituya fusibles por otros que sean más resistentes que los recomendados.

Para tocadiscos y magnetófonos, o equipos parecidos, debe usar fusibles de 2 amperios.

En los circuitos de alumbrado, lámparas de mesa o de pie, equipos de música, órganos eléctricos o electrónicos debe utilizar fusibles de 5 amperios.

Los fusibles de los circuitos de las líneas principales y los de hornillos eléctricos, calentadores de agua, máquinas lavadoras y otros elementos similares de cocina, incluidas marmitas y planchas, han de ser de 13 amperios.

Las cocinas eléctricas llevan fusibles de 30 amperios. *No debe utilizar fusibles de 30 amperios para nada más.*

Los enchufes de conexión suelen suministrarse con fusibles de cartucho de 13 amperios. Es preciso adquirir fusibles más débiles cuando sea conveniente y cambiar los que lleva el enchufe.

También es importante no sustituir cordones y cables eléctricos por otros de menor diámetro que el recomendado.

No hay que usar más de un adaptador por enchufe, vigilando no conectar aparatos que excedan la capacidad del fusible que protege a dicho enchufe.

Cuando se colocan vestidos o ropas delan-

---
* N. del T.– Lo mismo ocurre en España y en otros países.

te de calentadores eléctricos para su secado o ventilación, hay que tomar precauciones para que no puedan caer o rozar el calentador.

Una habitación que se emplee temporalmente como almacén no debe tener calentadores conectados, y deberán sacarse los fusibles de los calefactores de pared situados a bajo nivel. Muchos incendios se han iniciado, por ejemplo, por haber prendido una alfombra enrollada que se ha guardado mientras se pintaba la vivienda, por efecto de un calefactor de pared cuyo interruptor había sido accionado sin darse cuenta.

Empleo de gas y quemadores de aceite

Los mismos cuidados mencionados anteriormente han de tenerse con todos los calentadores: no hay que colocar productos combustibles cerca de ellos.

Nunca hay que usar la llama de gas de la cocina para secar objetos, como toallas o paños de cocina. Es algo que se hace con frecuencia pero que resulta peligroso. Tampoco es recomendable colocar los paños en las puertas de hornos aunque la llama del gas esté baja. Al llegar la noche hay que verificar que todas las llamas estén apagadas y los grifos de gas bien cerrados.

Una norma general de seguridad consiste en tener en buen estado cualquier aparato de funcionamiento automático. *Todos* los aparatos que llevan quemadores de aceite o combustibles líquidos (como los que utilizan algunas calderas de calefacción central), ya sean fijos o portátiles, requieren un mantenimiento periódico. Otras medidas de seguridad con respecto a los aparatos portátiles de combustible líquido, son:

Nunca hay que rellenar los depósitos de dichos aparatos portátiles dentro de la vivienda.
No olvide que debe limpiar cualquier salpicadura o vertido del combustible y asegurarse de que está totalmente seco antes de encender el aparato.
No coloque estufas portátiles de combustible líquido en lugares donde exista corriente de aire.

Los calefactores portátiles de gas que emplean un depósito esférico o botellas de gas a presión, han de tratarse del mismo modo que si fueran aparatos fijos, pero añadiéndoles las precauciones indicadas para los aparatos portátiles de combustibles líquidos. Hay que tener mucho cuidado para que los calefactores portátiles de gas no reciban la influencia de otros calentadores o estufas.

Empleo de combustibles sólidos

Un calefactor de «fuego real» es un aparato igual a los demás. Tanto si se trata de un tipo con llama abierta como si es un modelo cerrado de combustión lenta, deben tomarse idénticas precauciones con respecto a productos combustibles que se encuentren en sus cercanías.

Dos son las medidas rutinarias que hay que aplicar siempre que se utilicen aparatos de combustibles sólidos. La primera de ellas es la limpieza regular de la chimenea, aunque sólo se queme madera. La segunda medida consiste en sacar las cenizas de la caja colectora de las mismas. Quienes vienen utilizando quemadores de combustibles sólidos habrán tenido ocasión de descubrir por sí mismos la clase de accidentes que pueden producirse. La más pequeña cantidad de ceniza o escoria, gris y aparentemente apagada, puede demostrar que aún está activa cuando alcanza una alfombra. Basta abrir una puerta exterior con un cubo de cenizas en una mano para darnos cuenta, tan pronto nos alcanza la corriente de aire.

No intente avivar un fuego que parece extinguirse con un pedazo de papel de periódico.

No vacíe una cubeta de cenizas dentro de casa. Procúrese un recipiente metálico provisto de una tapa, también metálica, que pueda deslizarse sin necesidad de darle la vuelta.

No olvide la conveniencia de un protector de chispas que puede fijarse alrededor del fuego.

Jamás debe emplear combustibles líquidos para facilitar el encendido.

Actividades de bricolage

Proceda con cuidado siempre que utilice sopletes y lámparas de soldar. Por ejemplo, no ponga papeles en el suelo mientras rasca pintura; atención con los nidos en los aleros; no emplee lámparas de soldar para deshelar tuberías.

Siempre que utilice adhesivos que contengan disolventes enérgicos ha de ventilar bien la zona de trabajo. No emplee gasolina para limpiar.

Elimine, *regularmente,* todo el material combustible del taller.

Índice alfabético

Waters, Tony.
Seguridad en el hogar / Tony Waters ; [traducción al castellano por Manuel Figueras Blanch]. -- Barcelona : Marcombo Boixareu Editores, c1986.
vii, 104 p. : ill. ; 24 cm. -- (Enciclopedia de trabajos caseros)
Translation of: Home protection.
Includes index.
ISBN 8426706053

1. Dwellings--Security measures. 2. Home accidents--Prevention. I. Title